Mauritshuis
's-Gravenhage

Mauritshuis
The Hague

SDU Uitgeverij, 's-Gravenhage 1988

Mauritshuis 's-Gravenhage

Gids van het koninklijk kabinet van schilderijen

Mauritshuis The Hague

Guide to the royal cabinet of paintings

Ben Broos

Al spoedig na de opening van het gerestaureerde Mauritshuis bleek er een grote vraag te zijn naar een goede gids van het museum. De bezoekers van velerlei nationaliteiten hebben behoefte aan een handzame, rijk geïllustreerde gids die de belangrijkste of meest aansprekende werken uit de tentoongestelde collectie belicht, die een route door het gebouw aangeeft en waarin iets wordt verteld over de stichter van het huis, de geschiedenis van het gebouw en de collectie en over de zojuist voltooide uitbreiding en restauratie.
Om aan deze wensen tegemoet te komen schreef de conservator van het Mauritshuis, Dr. Ben Broos, deze rondgang door de museumzalen waarbij hij stilstaat bij een groot aantal hoogtepunten uit de verzameling. Deze zijn in kleur afgebeeld, terwijl tal van zwart-wit illustraties zijn opgenomen met de bedoeling de gebruiker extra visuele informatie te geven tot een beter begrip van de betekenis of de inhoud van de besproken werken.
Deze gids maakt deel uit van een serie gidsen van Nederlandse musea. Met het verschijnen van het eerste deel in deze reeks hoopt het Mauritshuis het kijkgenot voor de bezoeker te verhogen. Moge deze uitgave er aldus toe bijdragen dat de rijke collectie van het museum nader wordt ontsloten en dat het de bezoeker duidelijk wordt dat hij te maken heeft met een wereldberoemde verzameling van schilderijen in een prachtig gebouw.

H.R. Hoetink, directeur

PREFACE

Soon after the opening of the renovated Mauritshuis it became clear that a great need was felt for a good guidebook to the museum. Visitors of various nationalities want a practical, richly illustrated guide which elucidates the most important or the most interesting works from the exhibited collection. Furthermore, it should provide an itinerary and have something to say about the founder of the house, the history of the building and the collection, and about the recently completed expansion and restoration.
To satisfy these needs, the curator of the Mauritshuis, Dr. Ben Broos, wrote this tour of the museum's galleries in which he dwells on a great number of high points in the collection. These are illustrated in colour, while numerous black-and-white illustrations have been included with the intention of providing the user with additional visual information which will assist him in obtaining a better understanding of the meaning or the subject matter of the discussed works.
This guide forms part of a series of guides to Dutch museums. With the publication of the first volume in this series the Mauritshuis wishes to heighten the viewing pleasure of the visitor. It hopes that this book may contribute towards making the museum's rich collection more accessible and that the visitor will realize that he is concerned here with a world-famous collection of paintings in a magnificent building.

H.R. Hoetink, director

In de officiële titel 'Koninklijk Kabinet van Schilderijen "Mauritshuis"' komt de aanduiding museum niet voor. Toch is het dat in de eerste plaats. Deze gids biedt een rondleiding door het museum, die wordt voorafgegaan door toelichtingen op de naam Mauritshuis, op het predikaat koninklijk, op de term kabinet, op de totstandkoming van de schilderijenverzameling en, tenslotte, op de recente restauratie en de heropening in 1987.

Johan Maurits en zijn huis in Den Haag

Het Mauritshuis, dat lange tijd 'Prins Mauritshuis' werd genoemd, dankt zijn naam aan Johan Maurits, graaf van Nassau Siegen (1604-1679) (afb. 1). Toen Johan Maurits in 1604 in Dillenburg werd geboren, waren de Lage Landen in oorlog – een vrijheidsstrijd die tachtig jaar heeft geduurd. Net als zijn grootvader Johan VI (de Oude) – die de broer was van Willem van Oranje – en zijn vader Johan VII (de Middelste) was Johan Maurits voorbestemd voor een militaire loopbaan. Al in 1621 kwam hij in dienst van het Staatse leger. In 1626 was hij kapitein en in 1629 nam hij deel aan het Beleg van Den Bosch en de verovering van de stad, die zijn oom Frederik Hendrik de naam 'stedendwinger' bezorgde. Het belangrijkste wapenfeit van Johan Maurits zelf was de verovering van de Schenkenschans bij Elten in 1636.
Aan de andere zijde van de wereld, in Zuid-Amerika, was het wapengekletter evenmin van de lucht. Portugal moest toezien hoe de Hollanders hand over hand

1 Pieter Soutman naar Gerard van Honthorst *Johan Maurits van Nassau Siegen* 1647, gravure

1 Pieter Soutman after Gerard van Honthorst *Johan Maurits van Nassau Siegen* 1647, engraving

1

The official title of the 'Royal Cabinet of Paintings "Mauritshuis"' does not specifically state that it is a museum, nevertheless that is its essential function. This book offers readers a guided tour of the museum, providing them first with general background information about the name 'Mauritshuis', the designation 'royal', the term 'cabinet', the history of the picture collection and, finally, the museum's restoration and renovation followed by its re-opening in 1987.

Johan Maurits and his residence in The Hague

The Mauritshuis, for a long time known as 'Prins Mauritshuis', was named after Johan Maurits, Count van Nassau Siegen (1604-1679) (ill. 1). When Johan Maurits was born at Dillenburg in 1604, the Low Countries were at war – a struggle for independence which lasted for 80 years. Like his grandfather Johan VI – brother of William of Orange – and his father Johan VII, Johan Maurits was destined for a military career. In 1621, at an exceptionally early age he joined the Dutch army. In 1626 he was made captain and in 1629 he was actively involved in the siege and eventual capture of Den Bosch, which earned his uncle Frederik Hendrik the name of 'Subduer of Cities'. The main feat accomplished by Johan Maurits himself was the conquest of the fort at Schenkenschans near Elten in 1636.
At the other end of the world, in South America, the clash of arms was no less violent. Portugal was forced to stand by helplessly as the Dutch troops rapidly took possession of their colony Brazil. In 1636 the Board of 19 Directors of the West India Company (the 'Heeren XIX') decided to appoint a governor-general who would be in charge of the conquered territory, and approached Johan Maurits, the successful young army officer, for the post. Initially, his term of office was to be five years and the salary offered him was more than generous. On 25 October 1636 the newly appointed 'governor, captain and Admiral-General' set sail for the West aboard the *Zutphen*. In Brazil Johan Maurits put an end to the Portuguese invasions south of Pernambuco and started building a new capital, Mauritsstad. By 1641 it had already attracted 5 to 10,000 inhabitants. Under his regime business flourished: teams of slaves were imported from Africa and put to work on the sugar plantations, the produce of which was sold in Holland. In 1641/42 near Mauritsstad, the Palace of Vrijburg was built in the Classical style. This became the seat of the colonial government. Johan Maurits's enlightened rule was to last until 1644. He was not simply there to exploit the country for its resources, but took a serious interest in the indigenous people, and their plants and animals.
'Maurits the Brazilian's retinue included scholars and artists who appa-

bezit namen van hun kolonie Brazilië. In 1636 besloten de Heren XIX van de Westindische Compagnie een gouverneur-generaal aan te stellen over het veroverde gebied en polsten de succesvolle militair Johan Maurits voor deze functie. De aanstelling zou voor vijf jaar gelden en het geboden salaris was meer dan riant. Op 25 oktober 1636 zette de nieuwbakken 'gouverneur, capiteyn- en Admiraal-Generaal' aan boord van de *Zutphen* koers naar de West.
In Brazilië maakte Johan Maurits een einde aan de invallen van de Portugezen in zuidelijk Pernambuco en hij begon de bouw van een nieuwe residentie, *Mauritsstad*, die al in 1641 vijf- tot tienduizend inwoners had. Onder zijn bewind bloeide de handel: uit Afrika werden sterke slaven gehaald, die moesten werken op de suikerplantages, waarvan de opbrengst werd verkocht in Holland. Bij Mauritsstad verrees in 1641/42 het paleis Vrijburg in classicistische stijl, van waaruit de kolonie werd bestuurd. Tot 1644 regeerde Johan Maurits als een verlichte vorst. Hij was niet alleen geïnteresseerd in het land als wingewest, maar ook in de bevolking en het planten- en dierenrijk.
In het gevolg van 'Maurits de Braziliaan' bevonden zich wetenschapsmensen en kunstenaars, die kennelijk het enthousiasme van hun opdrachtgever deelden. Zo waren er de natuuronderzoeker Georg Markgraf, de auteur van *Historiae Rerum Naturalium Braziliae* en de lijfarts van Johan Maurits, Willem Piso, die *De Medicina Brasiliensi* schreef. In 1648 werden deze wetenschappelijke werken onder de gezamenlijke titel *Historia Naturalis Brasiliae* in Amsterdam bij Elzevier uitgegeven. Van de zes kunstenaars die hij meegenomen had, zijn er twee thans algemeen bekend: Frans Post, wiens Braziliaanse landschappen (afb. 2) de naïeve charme hebben van Rousseau le Douanier en Albert Eckhout, die ons blijft frapperen door het onbevangen realisme waarmee hij de mensen en de flora

2 Frans Post *Mauritsstad en Recife 1657*, schilderij op doek, São Paulo, Dos Santos

2 Frans Post *Mauritsstad and Recife* 1657, oil on canvas, São Paulo, Dos Santos

2

rently shared their patron's enthusiasm. It included both the natural scientist Georg Markgraf, author of *Historiae Rerum Naturalium Braziliae* and Willem Piso, Johan Maurits's personal physician, who wrote *De Medicina Brasiliensi*. In 1648 these scholarly works were published together under the general title *Historia Naturalis Brasiliae* by Elzevier in Amsterdam. Of the six artists he took along with him, two are now widely known: Frans Post, whose Brazilian landscapes (ill. 2) have the naive charm of the Douanier Rousseau, and Albert Eckhout, whose unprejudiced, rather realistic pictures of the Brazilian people, and their flora and fauna have never lost their impact (ill. 3). Eckhout refrained from indulging in artistic embellishments but painted and drew simply what he saw. His observations are still of great scientific value.
Brazilians remember Johan Maurits's governorship of the colony with fondness. However, dissatisfaction with the support he received from the board of directors the 'Heeren XIX', caused him to resign in 1642. On 6 May 1644 he handed the government over to the authority of the High Court, after which, the West India Company managed to hold on against the Portuguese for another ten years. After a period of seven years in South America, Johan Maurits returned to The Hague in August 1644 and soon after moved into his residence which had been built during his absence. The directors of the West India Company scornfully referred to it as a 'maison du sucre', because they thought the founder had made far too large a profit in the sugar trade. 'The Brazilian' firmly denied this.
In the second quarter of the 17th century The Hague went through its own golden age. At the age of 17, Johan Maurits had witnessed a sudden

3 Albert Eckhout *Dans der Tapoeiers* (ca. 1640/44), schilderij op doek, Kopenhagen, Nationalmuseum

3 Albert Eckhout *Dance of the Tapocans* (ca 1640/44), oil on canvas, Copenhagen, Nationalmuseum

3

en fauna van Brazilië schilderde (afb. 3). Eckhout liet zich niet verleiden tot artistieke franje, maar schilderde en tekende wat hij zag. Zijn waarnemingen zijn nog steeds van grote wetenschappelijke waarde.
In Brazilië denkt men nog met weemoed terug aan het gouverneurschap van Johan Maurits. Ontevreden over de steun die hij van de Heren XIX kreeg, vroeg hij echter al in 1642 zijn ontslag aan. Op 6 mei 1644 droeg hij de regering over aan de Hoge Raad, waarna de Westindische Compagnie nog tien jaar stand hield tegen de Portugezen. Na een zevenjarig verblijf in Zuid-Amerika zag Johan Maurits in augustus 1644 Den Haag terug en betrok er weldra het woonhuis dat hij inmiddels had laten bouwen. De bestuurders van de Westindische Compagnie noemden het smalend het 'maison du sucre' omdat ze dachten dat de bouwheer een te groot persoonlijk profijt had gehad van de suikerhandel, wat 'de Braziliaan' met klem bestreed.
In het tweede kwart van de zeventiende eeuw beleefde Den Haag zijn eigen gouden tijdperk. Als zeventienjarige had Johan Maurits het Haagse hofleven plotseling tot grote bloei zien komen. Vanaf 1621 resideerde de Winterkoning Frederik V van de Palts aan de Kneuterdijk, waar Frederik Hendrik Amalia van Solms zou ontmoeten. Na hun huwelijk in 1625 ontwikkelde het stadhouderlijk paar een cultureel klimaat aan het Binnenhof dat van waarlijk internationale allure was. De 'stedendwinger' werd een belangrijk bouwheer. Het ene na het andere verblijf verrees in of bij de Hofstad: Honselaersdijk (omstreeks 1632), Huis ter Nieuburch (1633/38), paleis Noordeinde (vanaf 1641) en Huis ten Bosch (voltooid in 1652). Jacob van Campen en Pieter Post – de broer van Frans Post – waren zijn architecten. Een niet te onderschatten rol bij de totstandkoming van hun ontwerpen speelde de secretaris van de stadhouder, Constantijn Huygens, die als een echte humanist bekwaam was in muziek, dicht- en bouwkunst en die een grote belangstelling had voor de beeldende kunsten.
De Rekenkamer deed in 1631 een ongebruikt deel van de tuin aan het Binnenhof, de 'kooltuin' en de 'Akertuin', van de hand. Johan Maurits en Constantijn Huygens kregen aldus op voorspraak van Frederik Hendrik ieder de beschikking over een prachtig bouwterrein in de Haagse binnenstad, waar zij elkaars buren werden. In 1637 kwam het woonhuis van Huygens gereed (afb. 4) en omdat Johan Maurits toen al naar Brazilië was vertrokken, hield de secretaris van de stadhouder sindsdien een oogje op de bouw van Maurits' huis. Op het voormalige rondeel verrees naast 'het Torentje' aan de Hofvijver een deftig en degelijk gebouw in streng-classicistische stijl, naar ontwerp van Jacob van Campen (afb. 5) en Constantijn Huygens. In de tractaten van Italiaanse bouwmeesters als Palladio en Scamozzi (die Van Campen in Italië had ontmoet) deden de Hagenaars hun inspiratie op voor de vormgeving van pilasters, kapitelen, kroonlijsten en frontons en lieten zij zich voorlichten over de ideale verhoudingen van een gebouw. Zij wisten dat de bron van deze architectonische richtlijnen het werk was van de Romeinse bouwmeester Vitruvius uit de eerste eeuw voor Christus.
Van Campen en Huygens waren dus de ontwerpers van de plannen van het woonhuis voor Johan Maurits, maar tijdens de bouw werden zij bijgestaan door Pieter Post. De interieurs werden (deels?) ontworpen door Post, die in 1652 een

flourishing of court life in The Hague. The Winter King, Frederik of the Palatinate, took up residence at the Kneuterdijk palace in 1621, where Frederik Hendrik was to meet Amalia van Solms. After their marriage in 1625 the Stadholder and his wife built up a cultural environment at the Binnenhof (Inner Court), equal to the best anywhere in the world. Frederik Hendrik, nicknamed the 'Subduer of Cities,' became an important patron of architecture. In particular, he patronized the architects Jacob van Campen and Pieter Post (Frans Post's brother). In and around the royal residence new buildings sprang up rapidly: Honselaersdijk (ca 1632), Huis ter Nieuburch (1633/38), Noordeinde Palace (after 1641) and Huis ten Bosch (completed in 1652). Constantijn Huygens was of crucial importance in the realization of their designs. He was the Stadholder's secretary, a true humanist, who was an accomplished musician, poet and architect and took a lively interest in the visual arts. In 1631 the audit office decided to sell parts of the Binnenhof Gardens which were never used: the 'Kooltuin' (cabbage garden) and 'Akertuin' (oak garden). Thus, as a result of Frederik Hendrik's personal mediation Johan Maurits and Constantijn Huygens each acquired a splendid plot of land to build on in the centre of The Hague. They were to become neighbours. In 1637 Huygens's house was completed (ill. 4) and as Johan Maurits had already left for Brazil, the Stadholder's secretary kept an eye on the advance of Maurits's house while he was abroad. A stately solid building was erected in the Dutch Classical style, based on a plan by Jacob van Campen (ill. 5) and Constantijn Huygens on the foundations of an earlier circular structure, next to the 'Little Tower' on the Hofvijver Lake. The Hague architects turned to treatises by Italian architects such as Palladio and Scamozzi (whom Van Campen had met in

4 Jan van Call *Het Plein met het huis van Huygens en het huis van Johan Maurits* (ca. 1690), tekening, Den Haag, Gemeentearchief

4 Jan van Call *The Plein with the houses of Huygens and Johan Maurits* (ca 1690), drawing, The Hague, Gemeentearchief

4

reeks tekeningen maakte met doorsneden, plattegronden en opstanden van het 'Mauritshuis', alsmede de indelingen van de wanden. Dit zijn de enige afbeeldingen van het inwendige van het huis, die bewaard gebleven zijn (afb. 7). De inrichting is alleen bekend uit een inventarislijst en een beschrijving van een zekere Jacob de Hennin uit 1681. Zijn relaas getuigt van verbazing over de wondere wereld die er heerste. In de vestibule waren fresco-schilderingen aangebracht met Braziliaanse landschappen en in de grote zaal op de eerste verdieping stond de collectie 'Braziliana' uitgestald: 'naturalia' en 'arteficialia', gebruiksvoorwerpen uit de West, opgezette dieren, huiden, muziekinstrumenten, Indiaanse wapens, sieraden, schelpen en koralen, ertsen en kostbare metalen en steensoorten. In 1644 voerden elf meegereisde Indianen vóór het Mauritshuis Braziliaanse dansen ten tonele.
Merkwaardig genoeg hechtte Johan Maurits niet al te zeer aan zijn verzamelingen, maar beschouwde deze ook als relatiegeschenken. Zo verkreeg de koning van Denemarken in 1654 een reeks grote schilderijen met voorstellingen van Indianen en stillevens van inheemse vruchten, die nu de trots zijn van de etnografische afdeling van het Statens Museum for Kunst te Kopenhagen. In 1652 al had hij onder andere achthonderd tekeningen met afbeeldingen van vruchten, planten, vissen, reptielen, vogels, insekten, zoogdieren, Indianen en mulatten verkocht aan de Grote Keurvorst van Brandenburg. In het jaar 1679 verblijdde Johan Maurits Lodewijk XIV nog met een collectie 'Braziliana'.
De ambities van Johan Maurits beperkten zich niet tot Den Haag. 'Qua patet orbis' (zo wijd de wereld strekt) was zijn persoonlijke motto. De Keurvorst van Brandenburg, die in 1646 was getrouwd met een dochter van Frederik Hendrik en Amalia van Solms, benoemde 'Maurits de Braziliaan' in 1647 tot stadhouder van Kleef. Hij liet er het zomerhuis 'Freudenberg' bouwen, legde er omvangrijke

5 Warnaar Horstink *Portret van Jacob van Campen* 1798, tekening (naar een verloren gegaan schilderij van Frans Hals), Haarlem, Gemeentearchief

5 Warnaar Horstink *Portrait of Jacob van Campen* 1798, drawing (after a lost painting by Frans Hals), Haarlem, Gemeentearchief

5

Italy) for their pilasters, capitals, cornices and tympana, as well as for guidance with the ideal proportions of a building. They were aware that these principles were themselves based on the work of the Roman architect Vitruvius who lived in the first century BC.
It was Van Campen and Huygens who were responsible for the plans on which Johan Maurits's house was based, but once the actual building had begun they were assisted by Pieter Post. Post designed (part of?) the interior decoration and in 1652 made a set of drawings with cross-sections, floor plans, elevations and a plan for the division of the interior of the Mauritshuis. These are the only surviving impressions of the interior (ill. 6). The only knowledge we have of the layout of the various rooms comes down to us through an inventory and a description written in 1681 by a certain Jacob de Hennin. In his account he expresses his amazement at the strange world to be found inside. The vestibule was decorated with murals of Brazilian landscapes and in the Great Hall (now: the Potter Room) on the first floor the collection of 'Braziliana' was displayed: consisting of 'naturalia' and 'arteficialia', implements from the West, stuffed animals, hides, musical instruments, Indian weapons, jewellery, shells and corals, ore, precious metals and stones. In 1644 eleven Indians who had come back with Maurits put on a performance of Brazilian dancing in the forecourt of the Mauritshuis.
Curiously enough, Maurits was not all that attached to his collections; he considered them equally suitable for use as state and business presentations, which led to the King of Denmark being given a series of paintings representing Indians and still-lifes with fruits from the region. These pictures are now the pride of the ethnographic department of the Statens

6 Pieter Post *Doorsnede van het Mauritshuis* 1652, tekening, Den Haag, Koninklijke Bibliotheek

6 Pieter Post *Cross-section of the Mauritshuis* 1652, drawing, The Hague, Koninklijke Bibliotheek

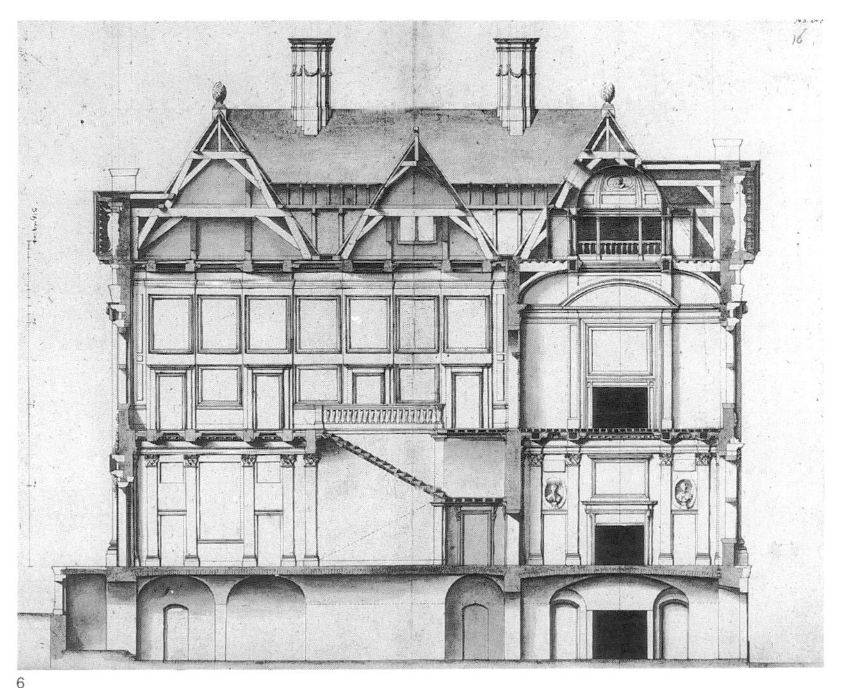

6

tuinen aan en het zogenaamde 'amfitheater' (afb. 1 op p. 46). Zijn ingrepen in het landschap bezorgden Kleef de naam van tuinstad. Tussen de vele diplomatieke bedrijven door verbleef Johan Maurits toch regelmatig in Den Haag en hij stelde bij gelegenheid zijn huis ter beschikking. In 1660 bijvoorbeeld werd het banket ter ere van het vertrek van Karel II naar Engeland in de grote zaal op de eerste verdieping van het Mauritshuis gehouden (afb. 7). De Republiek benoemde Johan Maurits in 1668 tot veldmaarschalk in het Staatse leger. In hetzelfde jaar ontwierp Maurits Post – de zoon van Pieter Post – een compleet nieuwe tuin voor het Mauritshuis, met aan het einde van de lengte-as een borstbeeld van de bouwheer waarvan een kopie zich tegenwoordig in het souterrain van het museum bevindt (afb. 8). Het origineel werd geplaatst in de grafkelder van Johan Maurits in Siegen. Op 20 december 1679 is hij in Bergendael bij Kleef overleden.
Na de dood van 'Maurits de Braziliaan' kwam zijn huis in Den Haag in handen van zijn grootste hypotheekhouder, de familie Maes, die het verhuurde. In de nacht van 23 op 24 december 1704 ging het interieur in vlammen op. Ene Willem Wolf had voor de secretaris van toenmalige bewoner, de hertog van Marlborough, het huis willen voorverwarmen. Wolf had zijn taak veraangenaamd met een fles drank, waarna hij vergeten moet zijn een kaars uit te doen in de kamer waar een kist sekt stond, verpakt in stro dat vlam vatte. De flessen ontploften. De brand was zo vernietigend dat alleen het muurwerk nog overeind stond.
Gelukkig werd er besloten tot restauratie in plaats van afbraak en nieuwbouw. Men hoopte door een loterij de benodigde gelden te verzamelen, maar de belangstelling was niet al te groot. Met horten en stoten werd desondanks tussen 1708 en 1718 gewerkt aan het in- en uitwendig herstel, waarbij het huis een moderne woonhuisfunctie kreeg. Het geheel werd vooral veel lichter. Dat werd bereikt door de ramen aan de onderkant te vergroten, door het weglaten van de scheidsmuren

7 P. Philippe naar J. Toorenvliet *Banket in het Mauritshuis ter ere van Karel II* 1660, gravure

7 P. Philippe after J. Toorenvliet *Banquet in the Mauritshuis in honour of Charles II* 1660, engraving

7

Museum for Kunst in Copenhagen. As early as 1652 he had already sold quite a number of items to the Grand Elector of Brandenburg, including 800 sketches of fruits, plants, fishes, reptiles, birds, insects, mammals, Indians and mulattos. In 1679, shortly before his death, Johan Maurits made Louis XIV a gift of a collection of 'Braziliana'.
Johan Maurits's aspirations went beyond The Hague. His personal motto was 'Qua patet orbis' (to the ends of the earth). In 1647 'Maurits the Brazilian' was appointed Stadholder of Cleves by the Grand Elector of Brandenburg, who in 1646 had married a daughter of Frederik Hendrik and Amalia van Solms. In Cleves he laid out extensive gardens and commissioned the building of the Freudenburg summer estate and the so-called amphitheatre (ill. 1 on p. 46). Thanks to the changes brought about in the landscape by Maurits, Cleves came to be known as the garden city. Despite all his political activities, Johan Maurits managed to reside at The Hague at regular intervals and occasionally let others have the freedom of his house. To mention but one notable occasion, the Great Hall on the first floor of the Mauritshuis was used for a farewell banquet held in honour of Charles II (ill. 7) in 1660. Johan Maurits was appointed to the rank of Field Marshal by the Republic of the Netherlands in 1668. In that year Maurits Post – Pieter Post's son – produced a completely new design for the garden of the Mauritshuis including a bust dedicated to its founder to be placed at the very end of the park. The bust which can be seen in the basement of the museum (ill. 8) is a replica of this original, which was placed in Johan Maurits's tomb in Siegen. He died in Bergendael near Cleves, on the 20th of December 1679. After Maurits's death his house in The Hague passed into the hands of the Maes family, who had served as his principal money

8

8 (Kopie naar) Bartholomeus Eggers *Borstbeeld van Johan Maurits* (naar het origineel uit 1664, Fürstengruft, Siegen)
Voor het beeld in het Mauritshuis staat in de vloer de tekst:
'Johannes Mavritivs Nassoviae comes Brasiliae praefectvs miles dvx princeps architectvs favtor artivm'
(Johan Maurits, graaf van Nassau, gouverneur van Brazilië, voornaam legeraanvoerder, architect, kunstbeschermer)

8 (A copy of) Bartholomeus Eggers *Bust of Johan Maurits* (after the original dated 1664, Fürstengruft, Siegen)
In the Mauritshuis the following text is to be found engraved into the floor in front of the bust:
'Johannes Mavritivs Nassoviae comes Brasiliae praefectvs miles dvx princeps architectvs favtor artivm'
(Johan Maurits, count Nassau, governor of Brazil, distinguished army commander, architect, patron of the arts)

aan de binnenkant van de trappen waardoor de hal een grotere ruimtewerking kreeg en door de bovenzaal met wit stucwerk te versieren. De Haagse meestermetselaar Gijsbert Blotelingh leidde de restauratie-werkzaamheden. Zijn ontwerpen van de nieuwe schoorsteenmantels waren ontleend aan de voorbeeldenboeken van de Franse architect en graveur Jean Bérain (afb. 9). In 1718 was de schilder Giovanni Antonio Pellegrini uit Venetië toevallig in Den Haag en hij kreeg opdracht de beschildering van de Gouden Zaal uit te voeren, waarvoor hij allegorische voorstellingen in de wanden en plafonds maakte in late Lodewijk XIV-stijl (afb. 1-2 op p. 84-87). In de grote zaal op de eerste verdieping verdween de koepel met tamboer (te zien op de prent uit 1660, afb. 7). Het gestucte plafond werd in 1910 op zijn beurt vervangen door de schilderingen van Jacob de Wit uit een huis in Leiden (afb. 1-2 op p. 143).
In de achttiende eeuw was het Mauritshuis aanvankelijk nog in gebruik als ambassadeurswoning, maar later was er een militaire school, de kelders waren verhuurd als wijnopslagplaats en na 1795 werden er zelfs 'staatsmisdadigers' opgesloten. Het gebouw werd in zijn oude waardigheid hersteld met de vestiging van de Koninklijke Bibliotheek in 1807, die tien jaar later al uit zijn jas was gegroeid. In 1820 werd het voormalige woonhuis van 'Maurits de Braziliaan' aangekocht door de Nederlandse Staat om er de Koninklijke Kabinetten van Schilderijen (op de eerste verdieping) en van Zeldzaamheden (op de begane grond, tot 1875) in onder te brengen. Op 3 januari 1822 stond aldus in de Staatscourant het bericht: 'Het Koninklijk Kabinet van Schilderijen te 's-Gravenhage zal voortaan des Woensdags en des Zaterdags van tien tot één uur kunnen worden bezichtigd door een ieder, die welgekleed is en geen kinderen bij zich heeft'. Het monumentale huis was daarmee definitief museum geworden.

Een koninklijk instituut

In de nacht van 18 januari 1795 week stadhouder Willem V met zijn gezin uit naar Engeland. De Republiek der Verenigde Nederlanden zou de Bataafse Republiek worden. De belangrijkste kunstschatten van het land werden door de Franse bezetters als oorlogsbuit beschouwd. Hierbij waren ongeveer tweehonderd schilderijen die samen het 'Cabinet du Stathouder' in Den Haag vormden. Deze werden in juni 1795 naar Parijs getransporteerd. De Bataafse volksvertegenwoordiging was genadiglijk in het bezit gelaten van de sabel van De Ruyter, de commando-staf van Tromp en enkele andere historische voorwerpen uit het bezit van Willem V. Twintig jaar lang konden de Franse burgers zich vergapen aan *De stier* (afb. 1 op p. 144) van Paulus Potter, die in het Louvre hing tussen de Rafaels en de Titiaans die in Italië waren geconfisqueerd.
Na het aftreden van Napoleon in 1814 en de Slag bij Waterloo in 1815 werd langs diplomatieke weg de teruggave geëist van de geroofde kunstwerken. De recuperatie vond in 1815 nog plaats. Op 14 november werden honderdtwintig teruggevonden schilderijen op wagens, begeleid door een stoet van Haagse vrijwilligers, twintig man cavalerie en vele hoogwaardigheidsbekleders triomfantelijk onder kanongebulder en klokgelui het Buitenhof in Den Haag opgereden

9 Illustratie uit J. Bérain *100 Planches principales de l'oeuvre complet de Jean Bérain 1649-1711*, Parijs 1882

9 Illustration from J. Bérain *100 Planches principales de l'oeuvre complet de Jean Bérain 1649-1711*, Paris 1882

lender; they subsequently leased the building. On the night of the 23rd and 24th of December 1704 the interior went up in flames. A certain Willem Wolf had wanted to warm up the house for the secretary of the Duke of Marlborough, who was then staying there. Wolf had been drinking to reduce the tedium of his task and must have forgotten to snuff out the candle in one of the rooms, where, as a result, a crate of champagne packed in straw, caught fire. The bottles exploded, and the fire which subsequently broke out destroyed everything but the main structure of the building. Fortunately it was decided to restore the building rather than demolishing it to make way for the erection of a new one. It was hoped that a lottery would raise the necessary funds but the proceeds were rather disappointing. Nevertheless, between 1708 and 1718, both the interior and exterior of the building were gradually restored and the house was renovated to include all the facilities needed to make it into a modern residence. The most significant result was that the rooms became considerably lighter; the windows were elongated, the walls originally separating the stairs from the vestibule were not reinstated, thus creating a more spacious effect in the entrance hall; the upper room was adorned with white stucco decorations. Gijsbert Blotelingh, master mason in The Hague, was in charge of the restoration. The design of his mantel-pieces came largely from sample books by the French architect and engraver Jean Bérain (ill. 9). Giovanni Antonio Pellegrini, the Venetian artist who happened to be passing through The Hague in 1718, was commissioned to execute the decorative paintings in the Golden Room; he made a number of murals and ceiling paintings depicting allegorical subjects in the late Louis XIV style (ill. 1-2 on p. 84-87). The drum and cupola motif (which can be seen in the print of 1660, see ill. 7)

9

(afb. 10). Het leeuwedeel van de voormalige stadhouderlijke collectie was weer thuis. Ongeveer zeventig schilderijen bleven helaas voorgoed in Frankrijk achter. Dientengevolge kan men thans in de provinciale musea aldaar typisch ontheemde kunstwerken aantreffen, zoals in Lyon *Het portret van Willem III in een bloemenkrans* door Jan Davidsz de Heem en in Rennes *Het huwelijk van de Grote Keurvorst met Louise Henriette van Oranje Nassau* door Jan Mijtens.
Tijdens de Bataafse Republiek was een centrale boekencolectie gevormd onder de naam Nationale Bibliotheek. Deze werd gedurende het koningschap van Lodewijk Napoleon in 1807 gevestigd in het 'Prins Mauritshuis' onder de naam Koninklijke Bibliotheek. Min of meer als voortzetting van dit beleid richtte koning Willem I, die in 1813 was uitgeroepen tot souverein vorst, enkele rijksinstellingen op waarin onder andere de van Frankrijk teruggevorderde collecties van zijn vader werden ondergebracht. Stadhouder Willem V was in 1806 overleden. Zijn boeken en handschriften werden zo eigendom van de Koninklijke Bibliotheek, die gevestigd was in het Mauritshuis, waar in 1816 het Koninklijk Penningkabinet eveneens onderdak vond. Een aantal door Willem V naar Engeland meegenomen kostbaarheden vormde samen met een uit erfenis verkregen verzameling Japanse en Chinese voorwerpen de kern van het Koninklijk Kabinet van Zeldzaamheden, dat gehuisvest werd in enkele vertrekken van het voormalige 'Kabinet van Willem V' aan het Buitenhof. In de galerij waren inmiddels de schilderijen van de stadhouder tentoongesteld, die informeel werden overgedragen aan de Staat der Nederlanden met de instelling van het Koninklijk Kabinet van Schilderijen. In 1822 werden beide kabinetten overgebracht naar het Mauritshuis.
Tot – onbezoldigd – directeur van het schilderijenkabinet werd jonkheer Johan Steengracht van Oostcapelle aangesteld en tot – bezoldigd – onderdirecteur de schilder J.W. Pieneman. Het publiek mocht vanaf 1817 tweemaal per week de collectie bekijken. De overige dagen waren bestemd voor studie door deskundigen en het maken van kopieën door kunstenaars. Eén resultaat van het bewind van jonkheer Steengracht was een geïllustreerde catalogus, die in vier delen

10 D.L.M. van Valkenburg *De terugkeer van de schilderijen van de stadhouder in Den Haag* 1839, tekening, Den Haag, Gemeentearchief

10 D.L.M. van Valkenburg *The return of the Stadholder's pictures in The Hague* 1839, drawing, The Hague, Gemeentearchief

10

disappeared from the Great Hall on the first floor. In 1910 the moulded ceiling was in turn replaced by decorative paintings by Jacob de Wit, originating from a house in Leiden (ill. 1-2 on p. 143).
In the early 18th century the Mauritshuis still served as a residence for ambassadors; it later came to be used as a military school; the cellars were leased to a wine merchant and after 1795 it even stooped to housing political prisoners. In 1807 the Mauritshuis regained something of its former glory when the Royal Library was established there. However, within less than ten years, the library had already outgrown its premises. In 1820 the former house of 'Maurits the Brazilian' was purchased by the Dutch State to accommodate the Royal Cabinet of Paintings (on the first floor) and Curiosities (until 1875, on the ground floor). On 3 January 1822 the State Newspaper made the following announcement: 'From now on The Royal Cabinet of Paintings in The Hague can be viewed on Wednesdays and Saturdays from 10 am to 1 pm by anyone who is well dressed and not accompanied by children'. This move meant that the monumental building had become a museum to the exclusion of all other possible functions.

A royal institution

In the early hours of the 18th of January 1795 Stadholder Willem V fled to England with his family. The Republic of the United Provinces was about to become the Batavian Republic. The country's major art treasures were confiscated by the French occupying forces as spoils of war. Among these were some 200 pictures which together formed the 'Cabinet du Stathouder' in The Hague. They were taken to Paris in June 1795. Mercifully, the Batavian House of Representatives was granted De Ruyter's sabre, Tromp's baton and a few other items of historical interest belonging to Willem V. For 20 years the French were able to gaze at Paulus Potter's *Bull* (ill. 1 on p. 144) which had been hung in the Louvre between the Raphaels and Titians (also looted, but in this case from Italy).
After Napoleon's abdication in 1814 and the Battle of Waterloo in 1815 the return of the stolen works of art was demanded through diplomatic channels. Their return followed promptly. On the 14th of November 1815 a triumphal procession of volunteers from The Hague, 20 cavalrymen and numerous dignitaries entered the Buitenhof in The Hague with the 120 paintings that had been recovered loaded on wagons, accompanied by cannon fire and peals of bells (ill. 10). The bulk of the collection, that had once belonged to the Stadholder was home again. Unfortunately, about 70 paintings were permanently lost to France. Thus one may nowadays come across oddly displaced pictures in French provincial museums: Jan Davidsz de Heem's *Portrait of Willem III in a floral wreath* in Lyon and Jan Mijtens's *Wedding of the Grand Elector and Louise Henriette of Orange Nassau* in Rennes.

verscheen tussen 1826 en 1830 en waarin honderd hoogtepunten uit de verzameling werden beschreven en afgebeeld in staalgravures. In zijn voorwoord schreef de directeur dat hij zich bij deze uitgave zeer ambitieus had gericht op voorbeelden van de musea te Parijs en Florence, waarbij het moeilijk was gebleken om goede graveurs voor het karwei te vinden. Voor de illustraties maakte N. Heideloff getekende kopieën in potlood, die aanvankelijk door A.L. Zeelander en F.L. Huygens werden gegraveerd. Zeelander en Huygens en anderen maakten later ook zelf de kopieën en de staalgravures. Een groot aantal van de potloodtekeningen is bewaard gebleven (afb. 11).

De betrokkenheid van het koningshuis bij het wel en wee van het Koninklijk Kabinet blijkt uit de opdracht van Steengrachts catalogus 'à sa Majesté la Reine des Pays-Bas, protectrice des beaux-arts'. Met gepaste trots sloot hij in 1830 de selektie van de honderd fraaiste schilderijen in het Mauritshuis af met een afbeelding van *De anatomische les van Dr. Nicolaes Tulp* (afb. 1 op p. 178) door Rembrandt, die kort daarvoor was verworven voor het museum. In 1828 had Willem I immers bij Koninklijk Besluit de openbare veiling van dit schilderij verboden en het laten aankopen voor 'zijn' Kabinet. Hij gaf trouwens vaker nadrukkelijk opdracht bepaalde stukken te verwerven en bleek daartoe te beschikken over 'bijzondere fondsen', vermoedelijk zijn eigen inkomen.

Op de veiling van een nazaat van Paulus Potter in 1820 werd bijvoorbeeld het portret (afb. 3 op p. 147) gekocht dat Bartholomeus van der Helst posthuum gemaakt had van de schilder van *De stier*. De mooiste aanwinsten van het Rijk werden sindsdien op last van de koning in Den Haag geplaatst. Zo moest de directeur van 's Rijks Museum in Amsterdam, Cornelis Apostool, op 11 juni 1822 aan de directeur van het Mauritshuis schrijven dat hij hem het *Gezicht op Delft* (afb. 1 op p. 114) van Jan Vermeer zou opsturen, dat toen op de veiling Stinstra was aangekocht. In 1827 belandde op dezelfde manier het *Gezicht op Haarlem* (afb. 1 op p. 186) van Jacob van Ruisdael in Den Haag. Van baron Keverberg van Kessel in Brussel kocht Willem I hoogst persoonlijk *De bewening van Christus* van Rogier van der Weyden (die men toen aan 'Hemlin' [Memling] toeschreef) (afb. 1 op p. 58). Dat zou men een historische daad kunnen noemen, omdat het schilderij nu nog een van de topstukken is van de Vlaamse primitieve schilderkunst in Nederland, die er in het algemeen nogal schaars vertegenwoordigd is. Vier pijlers waarop toen de faam van de collectie in het Mauritshuis is gevestigd (*De anatomische les*, het *Gezicht op Delft*, het *Gezicht op Haarlem* en *De bewening van Christus*) kwamen er dank zij het mecenaat van koning Willem I.

De Belgische opstand gaf een financiële dreun die tot in het Koninklijk Kabinet werd gevoeld. Vanaf 1832 werd er niets meer voor het museum gekocht en onder koning Willem II was er geen sprake van enige belangstelling voor het instituut. In 1850 en 1851 werd de privé-collectie van Willem II met de schitterendste vijftiende- en zestiende-eeuwse meesterwerken geveild. Niets daarvan kwam in het Mauritshuis terecht, waar men jarenlang moest zien rond te komen met een aankoopbudget van zegge en schrijve achthonderdtien gulden. De collectie is pas vanaf omstreeks 1875 aanzienlijk uitgebreid met aankopen door het Rijk,

11 N. Heideloff *Suzanna en de ouderlingen naar Rembrandt* (ca. 1825), tekening, 10 × 8,5 cm, Den Haag, Mauritshuis

11 N. Heideloff *Susanna and the elders after Rembrandt* (ca 1825), drawing, 10 × 8.5 cm, The Hague, Mauritshuis

During the Batavian Republic a core collection of books had been assembled and institutionalized as a National Library. In 1807, in Louis Napoleon's reign, this collection was transferred to the 'Prins Mauritshuis', where it came to be known as the Royal Library. More or less as a continuation of this policy King Willem I, who was proclaimed sovereign ruler in 1813, founded several national institutions which were to house, among other things, his father's reclaimed collections. On Stadholder Willem V's death in 1806, his books and manuscripts transferred ownership and became the property of the Royal Library, which was housed in the Mauritshuis. In 1816 the Royal Coin Cabinet was to be established there too.
A number of treasures which Willem V had taken to England, and a collection of inherited Japanese and Chinese objects formed the nucleus of the Royal Cabinet of Curiosities, which was housed in several rooms of what had formerly been 'Willem V's Cabinet' in the Buitenhof. The gallery now came to be used as an exhibition area for the Stadholder's pictures, which had been handed over to the Dutch State unofficially with the establishment of the Royal Cabinet of Paintings. In 1822 both collections were transferred to the Mauritshuis.
Johan Steengracht van Oostcapelle, a member of the aristocracy, was made honorary director of the picture gallery and the painter J.W. Pieneman was given the salaried post of deputy director. From 1817 the collection was open to the public for two days a week. The rest of the time was reserved for experts wishing to study the pictures and for artists who wanted to make copies of them. One of the achievements of Steengracht's regime was an illustrated catalogue published in four volumes between 1826 and 1830, which included descriptions highlighting 100 pictures from the collec-

11

legaten van particulieren en langdurige bruiklenen. Bij aanwinsten is steeds gezocht naar bijzondere werken, waarmee het beleid van Willem I als het ware werd voortgezet. Achteraf kan dan ook worden geconstateerd dat het Mauritshuis nu beschikt over een vorstelijke verzameling van schilderijen, ook in die zin dat kwaliteit in artistiek en kunsthistorisch opzicht meer dan royaal aanwezig is.

Van kabinet tot museum

Enkele van de betekenissen van het oude woord kabinet zijn nog steeds op het Mauritshuis van toepassing: het is beperkt van omvang en het is tevens een bewaarplaats van kostbaarheden. In de geschiedenis van het verzamelen is het begrip 'kabinet' naast de aanduiding van de ruimte waarin een collectie werd bewaard – wat zelfs een kast kon zijn –, de samenvattende term geworden voor een verzameling in haar geheel. Zo werd het bovendien een abstractie: het *Kabinet van Nederlandsche outheden en gezichten* van Abraham Rademaker (Amsterdam, 1725) was niet meer dan een in boek gebrachte verzameling reproducties. Maar bij de term kunstkabinet denkt men natuurlijk in de eerste plaats aan het domein van de gepassioneerde verzamelaar, zoals wij dat kennen uit de late renaissance toen men zijn belangstelling voor de zichtbare wereld in een collectie 'naturalia' en 'arteficialia' (natuur- en kunstproducten) etaleerde. Voor dit fenomeen heeft Julius von Schlosser in 1908 de ingeburgerde Duitse uitdrukking 'Kunst- und Wunderkammer' bedacht. Wij zouden zeggen: rariteitenkabinet. De meeste zeventiende-eeuwse verzamelingen waren rariteitenkabinetten met dien verstande dat toen met rariteit iets anders anders werd bedoeld dan heden ten dage. Net zoals de 'Wunderkammer' eerder zaken bevatte om te bewonderen dan om zich erover te verwonderen, waren rariteiten (van het Latijnse woord raritas [= zeldzaamheid]) eeuwenlang wetenschappelijke studieobjecten en bepaald geen kermisattracties. Het Mauritshuis is van meet af aan voornamelijk een rariteitenkabinet (dus een soort museum) geweest, terwijl de schilderijen die er nu hangen voor een deel afkomstig zijn uit befaamde kabinetten, met name dat van stadhouder Willem V, waarvan de kern op zijn beurt gevormd werd door het voormalige kabinet Van Slingeland. De bouwheer Johan Maurits richtte zijn huis speciaal in als een *Domus cosmografica* – een spiegel van de wereld. Van de oorspronkelijke inrichting van het Mauritshuis bestaan alleen nog enkele beschrijvingen. Het schilderij *Amerika* van Jan van Kessel (afb. 12) geeft waarschijnlijk een indruk van het interieur van een huis als dat van Maurits de Braziliaan. De wat chaotisch aandoende uitstalling is goed vergelijkbaar met het gedroomde ideale museum zoals Willem van Haecht dat schilderde (afb. 1 op p. 100). De oudste verzameling rariteiten in het Mauritshuis is al vroeg verspreid geraakt. Dat kan men betreuren, maar dat was nu eenmaal het lot van kabinetten waarvoor geen collectieve verantwoordelijkheid bestond, zoals verzamelingen van land en kerk. Veilingen van beroemde kabinetten waren in die dagen grote gebeurtenissen die internationale aandacht trokken en die nog jarenlang in het geheugen bleven hangen. De openbare verkoop van het 'Kabinet van Rubens' in Antwerpen in 1640 veroorzaakte heel wat opwinding onder de collectionneurs.

tion with reproductions in steel engraving. In his preface the director stated ambitiously that he had, in his publication, followed the example set by museums in Paris and Florence, and that in doing so, he had encountered difficulties in finding engravers who were sufficiently qualified for the task. The illustrations were engraved by A.L. Zeelander and F.L. Huygens and were based initially on pencil copies drawn by N. Heideloff. Later, Zeelander, Huygens and others went on to make the copies and the steel engravings themselves. A good deal of the drawings in pencil are still in the Mauritshuis (ill. 11). The royal family's concern for the well-being of the Royal Cabinet can be seen from the dedication in Steengracht's catalogue: 'à sa Majesté la Reine des Pays-Bas, protectrice des beaux-arts'. With due pride he concluded the 1830 selection of 100 masterpieces from the Mauritshuis with a reproduction of Rembrandt's *Dr. Nicolaes Tulp giving an anatomy lesson* (ill. 1 on p. 178), which had been added to the collection only a short time before. In 1828 Willem I had in fact acquired the painting for 'his' museum after issuing a Royal Decree preventing the public sale of the work. Actually, he often gave explicit instructions like these about the purchase of a particular piece and apparently had 'special funds' for this purpose, presumably drawn from his own private income.

To illustrate this, we see that in 1820 the King had bought the portrait of Paulus Potter (ill. 3 on p. 147), which had been painted posthumously by Bartholomeus van der Helst. He bought it at an auction of the property of a descendant of the artist of *The bull*. From then on all major purchases made by the government were supervised by the King in The Hague. In this way, on the 11th of June 1822 the director of the Rijksmuseum in Amsterdam, Cornelis Apostool, was to promise the director of the Mauritshuis that he would send him Jan Vermeer's *View of Delft* (ill. 1 on p. 114), which had been bought at the Stinstra sale shortly before. This was also how Jacob van Ruisdael's *View of Haarlem* (ill. 1 on p. 186) found its way into the Hague collection in 1827. *The Lamentation of Christ* by Rogier van der Weyden (at the time attributed to 'Hemlin' [Memling]) (ill 1 on p. 58) was purchased by Willem I personally from Baron Keverberg van Kessel in Brussels. This might be regarded as a historic event, as the piece is one of the few major examples of early Flemish painting housed in Holland. At that time, four of the paintings which then established the fame of the Mauritshuis (*The anatomy lesson*, the *View of Delft*, the *View of Haarlem* and *The Lamentation of Christ*) entered the collection through Willem I's patronage.

The Belgian Uprising caused widespread financial difficulty, the effects of which were felt in the Royal Cabinet in The Hague. From 1832 no further purchases were made for the museum and under King Willem II no one took the slightest interest in the institution. In 1850 and 1851 Willem II's private collection, including the most beautiful 15th and 16th-century masterpieces, was put up for auction. None of these pictures went to the Mauritshuis, which for years had to make do with a budget which amounted to no more than 810 guilders. It is only since about 1874 that the collection has

Toen het huis van Johan Maurits werd gebouwd en ingericht, bevonden zich in Holland vooral in Amsterdam enkele grote kunstverzamelingen. Wijd en zijd bekend waren de collecties Lopez, Kretzer, Reynst en Van Uffelen, om maar te zwijgen van de verzameling Italiaanse meesterwerken van de Graaf van Arundel, die tussen 1643 en 1654 tijdelijk onderdak vond in Amersfoort, Alkmaar en Amsterdam.
Op de veilingen van die Amsterdamse kabinetten, zoals de veiling Van Uffelen, liet de stadhouderlijke familie zich niet onbetuigd. Lucas van Uffelen roemde men veertig jaar na zijn dood nog als een van de grootste kunstliefhebbers die er ooit waren geweest. Hij was in de lente van 1638 overleden en op verschillende data werden zijn bezittingen openbaar verkocht. De veiling van 9 april 1639 heeft geschiedenis gemaakt. Belangrijke kopers waren daar de collectionneurs Gerrit Reynst en Don Alfonso de Lopez, die onder andere voor kardinaal Richelieu optrad. Rembrandt kwam ook kijken en hij maakte een schets van Rafaels beroemde *Portret van Baldassare Castiglione*. Lopez verwierf dit schilderij voor het hoge bedrag van 3500 gulden. Rembrandt noteerde naast zijn kopie wat 'het geheele Caergesoen (= de boedel) tot Luke van Nuffeelen' had opgebracht: 'fl 94.456,—'. Hij moet het met ontzag hebben neergeschreven, omdat het meer dan viermaal het bedrag was waarvoor hij zelf dat jaar een groot huis (het latere Rembrandthuis) had gekocht. Tijdens een kijkdag voor de veiling kwam Amalia van Solms 'recreations-weiss' een bezoek brengen aan het 'weit berühmten Kunst-Cabinet', zoals de Duitse schilder/schrijver Joachim von Sandrart meldde. Zij liet het gemeentebestuur van Amsterdam een bod doen op een witmarmeren cupidobeeld van Frans Duquesnoy, dat voor haar verworven werd voor maar liefst zesduizend gulden.

12 Jan van Kessel *Amerika* 1666, schilderij op paneel, München, Alte Pinakothek

12 Jan van Kessel *America* 1666, oil on panel, München, Alte Pinakothek

12

really been able to expand through purchases made from state funds, bequests from private individuals and long-term loans. The museum has always tried to acquire paintings of special quality or interest, thereby following the pattern set by Willem I. Today the Mauritshuis can be said to house a royal collection of paintings, both in a historical and artistic sense.

From cabinet to museum

Some of the original meanings of the word 'cabinet' can still be applied to the Mauritshuis: it serves as a depository for precious works of art and space is limited. Over the years, the word 'cabinet' has gradually come to be used as a general term for a collection as a whole, in addition to having the sense of a space for the accommodation of a collection – which would sometimes be little more than a case with drawers. In this way cabinet was used in an abstract sense: the *Kabinet van Nederlandsche outheden en gezichten* (Cabinet of Dutch antiquities and views) by Abraham Rademaker (Amsterdam, 1725) is merely a bound collection of reproductions. But what the term 'art cabinet' most obviously suggests, is the passionate collector's retreat, a well-known phenomenon which can be traced back to the late Renaissance, when people commonly expressed their interest in the visible world in a collection of 'naturalia' and 'arteficialia' (natural and artificial objects). This phenomenon came to be known as 'Kunst- und Wunderkammer', a phrase first used by the German Julius von Schlosser in 1908. In England one might refer to it as a 'collection of curiosities'.
In the 17th century most collections would consist of curiosities, although it should be understood that in those days the word 'curiosity' would have meant something quite different from today. A 'Wunderkammer' contained things to wonder at in admiration rather than surprise, and the rarities (from the Latin word 'raritas') meant the objects of age-long scholarly study rather than fairground attractions. The Mauritshuis started as a collection of curiosities (in other words as a kind of museum) whilst some of the paintings that can be seen there today have come from famous collections – pre-eminently those of the Stadholder Willem V – the core of which once made up the Van Slingeland Cabinet. The man for whom the house was originally built, Johan Maurits, equipped it specially as a *Domus cosmo-grafica* – a mirror of the world. Only a few descriptions of the original interior of the Mauritshuis have come down to us. Jan van Kessel's picture *America* (ill. 12) probably gives us as good an idea as any of how a house of the type owned by 'Maurits the Brazilian' would have looked from the inside. The slightly chaotic arrangement of the objects on display is similar to the imaginary gallery painted by Willem van Haecht (ill. 1 on p. 100).The oldest collection of curiosities belonging to the Mauritshuis was dispersed early on. This may seem regrettable to us today, but such was the fate of cabinets which, unlike collections belonging to the State or the Church,

Zo ging een bezienswaardigheid voor de Republiek verloren. Want zulke kabinetten vervulden enigszins de rol van de huidige musea, omdat ze beter toegankelijk waren voor een groot publiek dan bijvoorbeeld de collectie van het stadhouderlijk hof. Dat is bekend uit talrijke reisbeschrijvingen, kranteberichten en dagboeken. De openbaarheid van deze privécollecties was zelfs veel groter dan men nu nog wel eens denkt. In Leiden bevond zich bijvoorbeeld het 'Kabinet De Bie'. Johan de Bye had zoveel schilderijen van Gerard Dou dat hij tegenover het stadhuis een kamer had gehuurd van een plaatselijke schilder om zijn collectie daar ten toon te stellen. In de Haarlemsche Courant van 26 september 1665 kon men lezen in een advertentie dat daar 'yder dagh behalve sondags van 11-12 uren, sonder noodsakelyk belet, kunnen worden gezien 29 stucken, op 't alderheerlyckst geschildert en wonderlyck door den konstryck gerenommeerden Mr. Gerard Dou uytghevoert'.
Het 'Gerard Dou-Museum' in Leiden was een van de eerste kabinetten waar alleen schilderijen waren te zien. De 'galerij' van stadhouder Frederik Hendrik in het Oude Hof in Den Haag is ook een schilderijencollectie geweest, eerder dan een rariteitenkabinet. Een dergelijke specialisatie trad in de loop der jaren steeds vaker op. Het voorbeeld van De Bye werd in Leiden nagevolgd door Pieter de la Court van der Voort. Deze verzamelaar liet bij zijn dood in 1739 tweehonderdvijftien werken na van Hollandse schilders uit de tweede helft van de zeventiende eeuw, vooral van Leidse fijnschilders en met name van Willem van Mieris, wiens mecenas hij was geweest. Een topstuk in dit kabinet was *Het aardse paradijs* van Rubens en Jan Brueghel (afb. 1 op p. 106). In opdracht van stadhouder Willem V werd in 1766 dit schilderij (dat afkomstig was uit het 'Kabinet De Bie') gekocht op de veiling De la Court in Leiden. Voor de collectie in Den Haag werden daar ook twee ruitergevechten van Jan van Hughtenburgh verworven en een *Jachtstilleven* van Jan Weenix.
Willem V heeft een schilderijenkabinet van grote allure bijeen gebracht. Eigenlijk was hij de eerste Oranjeprins na Frederik Hendrik die schilderijen kocht met het oog op collectievorming en niet om er zijn paleizen mee op te sieren. In 1765 al had hij op de veiling van de koning van Polen *Apelles schildert Campaspe* (afb. 1 op p. 100) van Willem van Haecht voor een zeer hoge prijs verworven en de Amsterdamse collectionneur J. Goll van Franckenstein constateerde met kennelijk genoegen: 'le Prince devient tout à fait amateur'. Omdat de prins toen nog vrij jong was – slechts zeventien jaar – weet men niet of het initiatief wel steeds bij hemzelf lag. Was hij werkelijk zo'n gepassioneerde verzamelaar ('amateur') of kreeg hij de belangrijkste impulsen daartoe van zijn opvoeder, de hertog van Brunswijk, of van de hofschilder T.P.C. Haag?
In 1768 kwam het 'Kabinet Slingeland' onder de hamer. Govert van Slingeland was een kieskeurige verzamelaar, die veertig schilderijen bijeen had gebracht en dat als het maximum aantal beschouwde dat hij wilde hebben. De kwaliteit wist hij steeds te verhogen door ruilen, verkopen en aankopen. Geheel in stijl was het zijn laatste wens geweest dat zo veel mogelijk verzamelaars na zijn dood van zijn collectie konden profiteren. Desondanks verkochten de erven het kabinet *en bloc* aan de jonge stadhouder. Zo was Willem V de gretige Catharina de

were not supervised by a communal body. In those days auctions of famous cabinets were major events, which attracted international interest and would be remembered for a great number of years after. In 1640 the public sale of the 'Rubens Cabinet' in Antwerp caused a great deal of excitement among art collectors. When Johan Maurits's house was built and decorated, Holland possessed several large art collections, most of which were to be found in Amsterdam. The collections of Lopez, Kretzer, Reynst and Van Uffelen were widely known, not to mention the Duke of Arundel's collection of Italian masterpieces, which was temporarily housed in Amersfoort, Alkmaar and Amsterdam between 1643 and 1654.
When these Amsterdam cabinets, like van Uffelen's were put up for sale, the Stadholder and his family would be in evidence buying at the sale. Forty years after his death, Lucas van Uffelen was still famed as one of the greatest art lovers of all time. He died in the spring of 1638 and the public sale of his property took place over a number of days. The sale in April 1639 made history. The most important buyers at this auction were Gerrit Reynst and Don Alfonso de Lopez, both art collectors; the latter was also acting on behalf of Cardinal Richelieu. Among the visitors was Rembrandt, who made a sketch after Raphael's well-known *Portrait of Baldassare Castiglione*. This painting was acquired by Lopez for the exorbitant price of 3,500 guilders. In the margin of his sketch Rembrandt noted down the total sum raised by the entire estate of Lucas van Uffelen as fl. 94.456,—. The amount must have impressed him as it was more than four times as much as he, personally, had paid earlier that year for a substantial house (now the Rembrandt House). On one of the viewing days Amalia van Solms dropped in 'for entertainment's sake' ('recreations-weiss') to visit the 'famous art collection' ('weit berühmte Kunst Cabinet') as the German painter/writer Joachim von Sandrart reported. She asked Amsterdam's city council to make a bid for a statue of Cupid in white marble by Frans Duquesnoy, which they subsequently bought for her for no less than 6,000 guilders. Thus the Republic lost one of its tourist attractions. For these cabinets were more or less the equivalents of present-day museums, as they were more readily accessible to the general public than, say, the collection of the Stadholder's court. We know this from various travel reports, newspaper articles and diaries. In fact, these private collections could be visited much more easily than people might nowadays think. Take, for example, the 'De Bie Cabinet' in Leiden. Johan de Bye had so many paintings by Gerard Dou that he decided to rent a room from a local painter opposite the town hall in order to exhibit his collection there. An advertisement in the Haarlemsche Courant of 26 September 1665 announced, that 'every day, with the exception of Sunday, between 11 and 12 o'clock, without restriction, 29 pieces could be seen, painted and executed with the greatest taste and skill by the famous artist Mr Gerard Dou'.
The 'Gerard Dou Museum' in Leiden was one of the first cabinets exclusively devoted to paintings. Stadholder Frederik Hendrik's 'gallery' in the

Grote vóór geweest. Vanaf 1759 legde de keizerin van Rusland op de internationale kunstmarkt een groot machtsvertoon aan de dag door hele kabinetten ineens op te kopen. Haar verwerving van (een groot deel van) het 'Kabinet Braamcamp' in 1771 werd vooral berucht, omdat het schip waarop de schilderijen werden vervoerd tijdens het transport naar Leningrad in de Finse scheren met man en muis is vergaan.
Willem V had op de veiling Braamcamp in 1771 door T.P.C. Haag op een vijftal schilderijen laten bieden, waardoor hij onder andere een *Zelfportret als jager* van Arie de Vois verwierf. Daarna was het vrijwel gedaan met nieuwe aanwinsten. In de jaren 1773 en 1774 werd het fraaiste deel van zijn verzameling van de vertrekken in het stadhouderlijk kwartier op het Binnenhof overgebracht naar een speciaal daartoe ingerichte galerij op het Buitenhof. Uit de verschillende stadhouderlijke verblijven in den lande werden schilderijen op transport gesteld naar Den Haag. In 1774 werd de 'Schilderijengalerij van Prins Willem V' in gebruik genomen in de zaal die sinds 1977 weer in oude luister is hersteld en voor het publiek geopend (zie p. 212-213). Ook in de achttiende eeuw was er gedurende enkele uren per dag een bezichtiging mogelijk zonder speciale permissie. Sinds 1774 waren de schilderijen van Willem V in feite in een openbaar museum ondergebracht. Na de recuperatie in 1815 is de verzameling in Nederlands staatsbezit overgegaan, maar als een herinnering aan haar voorgeschiedenis bleef de term 'kabinet' in de officiële titel van het museum en zijn collectie bestaan.

De schilderijen in het Mauritshuis

Koning Willem I liet het Koninklijk Kabinet van Schilderijen en dat van Zeldzaamheden aanvankelijk in één behuizing onderbrengen. Pas in 1875 kwam het hele Mauritshuis vrij voor de collectie schilderijen die sindsdien gestaag groeide. In 1874 had Victor de Stuers een nieuwe catalogus gepubliceerd, waarin driehonderdachttien schilderijen waren opgenomen en vijftien beeldhouwwerken. In de openingszin van zijn voorwoord stelde hij dat het Haagse museum een van de opmerkelijkste van Europa was geworden, niet door het grote aantal schilderijen, maar door de hoge kwaliteit ervan. Bij de verwerving van nieuwe stukken zou kwaliteit sindsdien de belangrijkste norm blijven. Begunstigers van het museum toonden begrip voor dat streven, want als er schenkingen werden gedaan, ging het veelal om kwalitatief hoogstaande werken.
Veel schilderijen uit de nalatenschappen van de prinsen/stadhouders zijn in het Mauritshuis terecht gekomen. Van het *Portret van Floris van Egmond* door Jan Gossaert (afb. 1 op p. 56) is de herkomst via Anna van Buren, dank zij haar huwelijk met Willem van Oranje, rechtstreeks terug te voeren op de opdrachtgever, Floris zelf. In de vestibule van het Mauritshuis zijn portretten van de stadhouders en hun verwanten tentoongesteld, niet vanwege de artistieke kwaliteit, maar omdat ze (deels) afkomstig zijn uit de verblijven en buitens van de Oranjes. De stadhouderlijke verzameling had gevoelige verliezen geleden toen de schilderijen van Amalia van Solms verdeeld werden over haar vier dochters, die allen

Old Court (Oude Hof) in The Hague was also a collection of pictures rather than curiosities. Over the years this kind of specialization became more and more frequent. In Leiden Pieter de la Court van der Voort followed the example set by De Bye. When he died in 1739, this collector left behind 215 works by Dutch artists of the second half of the 17th century. His collection included in particular many pictures by the Leiden 'fine painters', especially Willem van Mieris, who had worked under De la Court's patronage. One of the best pieces in this cabinet was *Earthly paradise* by Rubens and Jan Brueghel (ill. 1 on p. 106). In 1766 this painting (originally part of the 'De Bye Cabinet') was bought on the instructions of Willem V at the De la Court sale in Leiden. On the same occasion three further works were acquired for the gallery in The Hague: two battle scenes with cavalry by Jan van Hughtenburgh and a *Game piece* by Jan Weenix.
Willem V assembled an impressive collection. He was actually the first Prince of Orange ever to buy pictures with an eye to building a collection rather than to sheer adornment of his palaces. As early as 1765 he acquired Willem van Haecht's *Apelles painting Campaspe* (ill. 1 on p. 100) for a very high price at the King of Poland's sale. The Amsterdam collector J. Goll van Franckenstein remarked in apparent amusement: 'le Prince devient tout à fait amateur'. As the Prince was still rather young at the time – only 17 years old – we do not know whether he always acted on his own initiative. Was he really such an avid collector ('amateur'), or was the impulse to buy in the case of more important acquisitions stimulated by his tutor, the Duke of Brunswick, and T.P.C. Haag, the court painter?
In 1768 the 'Slingeland Cabinet' came under the hammer. Govert van Slingeland was a fastidious collector who had accumulated 40 paintings and considered it undesirable to exceed this number. Through exchange, buying and selling he managed constantly to upgrade the overall quality of his collection. In perfect keeping with these principles his dying wish was to have as many collectors as possible benefit from his paintings. Nevertheless, the heirs decided to sell the cabinet *en bloc* to the young Stadholder. In this way Willem V stole a march on Catherine the Great. After 1759 the Russian empress moved into the international art market with a great show of strength by purchasing cabinets in their entirety. She became particularly reknowned through the acquisition of a large part of the 'Braamcamp Cabinet' in 1771, which was subsequently lost when the ship which was carrying the pictures to Leningrad was completely wrecked on the Finnish skerries.
In 1771 Willem V authorized T.P.C. Haag to bid for five paintings at the Braamcamp sale. One of the pieces he acquired was a *Self-portrait as huntsman* by Arie de Vois. After this, hardly any further purchases were made. In 1773 and 1774 the finest paintings from the collection were moved from the Stadholder's quarters in the Binnenhof to a specially equipped gallery in the Buitenhof. Paintings belonging to the Stadholder, which had been spread over various residences, were taken down from the walls to

met Duitse prinsen waren getrouwd. Zo kwam Rembrandts bekende *Passieserie*, die Frederik Hendrik nog bij hem had besteld, in Duitsland terecht. In 1713 werd uit geldgebrek een deel van de collectie van Het Loo in Amsterdam openbaar verkocht, waar onder andere *Vertumnus en Pomona* van Rubens en Jan Brueghel onder de hamer kwam. Beide aderlatingen van de collectie werden in de achttiende eeuw door Willem IV en Willem V enigszins gecompenseerd. Zo zou men althans de aankoop kunnen uitleggen van *Het loflied van Simeon* van Rembrandt (afb. 1 op p. 176) in 1733 en van *Het aardse paradijs* van Rubens en Jan Brueghel (afb. 1 op p. 106) in 1766. Staatsieportretten uit niet meer bestaande Haagse (buiten)huizen vonden eveneens een goed onderkomen in het Mauritshuis: van Willem van Honthorst bijvoorbeeld is het *Portret van Willem III als kind* (afb. 2 op p. 47), afkomstig uit paleis Huis ten Bosch en het *Portret van Frederik Hendrik en Amalia van Solms* (afb. 13) uit het huis van Constantijn Huygens. Eveneens van Honthorst is een *Fruitplukkende putto*, die nu – net als in 1707 in paleis Honselaarsdijk – weer gemonteerd is in de wandbekleding boven een deur (afb. 14). Zo is ook van Abraham Bloemaert *De bruiloft van Peleus en Thetis* in de Van der Weydenzaal als schoorsteenstuk te zien (afb. 2 op p. 63) omdat het waarschijnlijk als zodanig is ontworpen, mogelijk zelfs in opdracht van het hof. Grote, decoratieve stukken in de huidige collectie zijn van Nicolaes Berchem *Zeus als kind op Kreta* (afb. 1 op p. 206) en van Jacob van Campen *Mercurius, Argus en Io* (afb. 3 op p. 163). Het laatste schilderij werd uitgevoerd door de architect van het Mauritshuis en heeft dezelfde afmetingen als de ruimten boven de schoorstenen in de Potterzaal, die ontworpen waren door Pieter Post (afb. 6). Helaas zijn de schouwen ter plaatse niet meer aanwezig.
Enkele schilderijen in de collectie bevonden zich ooit in Engels koninklijk bezit. *De jonge moeder* van Gerard Dou (afb. 3 op p. 177), onderdeel van de 'Dutch

13

be dispatched to The Hague. In 1774 'The Prince Willem V Picture Gallery' was established; this hall was restored to its original splendour in 1977 and is now open to the public again (see p. 212-213). In the 18th century one could visit the gallery for several hours a day without having to apply for special permission. In fact, Willem V's pictures have been housed in a museum open to the public since 1774. On their return in 1815, the paintings became the property of the Dutch State but the term 'cabinet' was retained in the official title of the museum and its collection, as a reminder of its early history.

The pictures in the Mauritshuis

From the outset King Willem I housed the Royal Cabinet of Paintings and the collection of Curiosities together in the one building. It was not until 1875 that the whole of the Mauritshuis became available for the picture collection which from then on grew steadily. In 1874 Victor de Stuers published a new catalogue which incorporated 318 paintings and 15 sculptures. In the opening lines of his preface he stated that the The Hague museum had become one of Europe's most remarkable galleries, not because it housed so many paintings but because of the outstanding quality of the collection. Quality has been the most important factor in the museum's acquisition policy ever since. Benefactors of the Mauritshuis have respected this aim, as can be witnessed by the many donations of exceptional quality over the years.
Many of the pictures bequeathed by the princes/stadholders have found their way into the Mauritshuis. In the case of the *Portrait of Floris van Egmond* by Jan Gossaert (ill. 1, p. 56) the direct provenance is from Anna van Buren, who married William of Orange, but can be traced right back to the sitter, Floris himself. The walls of the vestibule in the Mauritshuis are hung with portraits of the stadholders and their relatives, not because these pictures are of exceptional artistic merit, but because they originate mostly from residences and country houses of the Orange family.
The Stadholder's collection sustained a number of heavy losses when Amalia van Solms's pictures were divided among her four daughters, who all married German princes. Rembrandt's well-known *Passion-series*, which had been painted at Frederik Hendrik's special request, thus found its way to Germany. In 1713, due to financial difficulties, part of the collection belonging to Het Loo was put up for auction in Amsterdam. Among the works that were sold on this occasion was *Vertumnus and Pomona* by Rubens and Jan Brueghel. In the course of the 18th century Willem IV and Willem V managed to some extent to make amends for the two big gaps which had been left in the collection. At any rate, one might interpret the acquisition of Rembrandt's *Simeon's song of praise* (ill. 1 on p. 176) in 1773, and Rubens's and Jan Brueghel's *Earthly paradise* (ill. 1 on p. 106)

13 Gerard van Honthorst *Portret van Frederik Hendrik en Amalia van Solms* (1637/38), schilderij op doek, 213 × 201 cm, inv.nr.104

13 Gerard van Honthorst *Portrait of Frederik Hendrik and Amalia van Solms* (1637/38), oil on canvas, 213 × 201 cm, inv.no 104

Gift' aan Karel II, werd door stadhouder Willem III nadat hij in 1688 zelf koning van Engeland was geworden, teruggebracht naar Nederland en opgenomen in de collectie van het vernieuwde paleis Het Loo. Zo kwam eveneens het *Portret van Robert Cheseman* (afb. 1 op p. 88) door Hans Holbein met andere portretten van de hofschilder van Hendrik VIII in Nederland terecht, wat later tot vergeefse protesten leidde van koningin Anna.
Het Mauritshuis bezit dus verscheidene voor de stadhouders vervaardigde en door hen verworven schilderijen. Familietrots en nationale sentimenten zijn de nauw met elkaar verweven drijfveren achter het verzamelen door de Oranjes in de achttiende eeuw. Erfstadhouder Willem IV verwierf *De stier* van Paulus Potter in 1749, onder andere omdat het toen gold als 'het bijzonderste hier te lande van hem bekend'. Sinds 1760 was het hof weer volop actief op de (nationale) kunstmarkt. Een speciale aanwinst was *Het grafmonument van Willem van Oranje in Delft* van Gerard Houckgeest (afb. 1 op p. 202). Dat was in 1764: Willem V was toen zestien jaar oud. Uiteraard had de afbeelding van het nationale monument een bijzondere betekenis voor hem en historisch besef was ook een argument om tien jaar later de zogenaamde *'Hoenderhof'* van Jan Steen (afb. 1 op p. 130) te verwerven. De verkoper liet hem in de waan dat een van de prinsesjes van Oranje was voorgesteld. Zo'n vermeende status had ook Caesar van Everdingens *Diogenes zoekt een oprecht mens* (afb. 1 op p. 164), waarin de voorouders van de persoonlijke adviseur van Willem V, Pieter Steyn, zouden zijn geportretteerd.
In 1774 werd – zoals al werd verhaald – de stadhouderlijke collectie een openbare aangelegenheid. Honderd jaar later was het Koninklijk Kabinet van Schilderijen de enige bewoner van het Mauritshuis. Als museum had het inmiddels grote reputatie opgebouwd, zoals De Stuers in 1874 terecht had vastgesteld.
A.F. Heijligers schilderde in 1884 het *Interieur van de Rembrandtzaal* (afb. 15). Vooral voor buitenlandse bezoekers waren *De stier* en *De anatomische les van Dr. Nicolaes Tulp* hét doel van de reis naar Den Haag. De fameuze Franse criticus Thoré-Bürger bestudeerde er de grootmeesters uit de Gouden Eeuw en door zijn geschriften kreeg hij zelfs de naam de herontdekker van Vermeer te zijn geweest. In tamelijk dramatische bewoordingen heeft hij beschreven hoe lang hij onderweg was geweest om het *Gezicht op Delft* te kunnen bezichtigen en hoe hij zich in allerlei bochten had moeten wringen om er een foto van te bemachtigen. Het Mauritshuis liet de verworven status doorklinken in het verzamelbeleid en in de publikatie van wetenschappelijke catalogi. Toen Abraham Bredius in 1889 directeur was geworden, werden er weer regelmatig interessante stukken aan de verzameling van het Mauritshuis toegevoegd.
In 1894 kocht Bredius in Londen een als Antonello da Messina aangeprezen en in de literatuur tot dan toe volkomen onbekend *Mansportret*, dat nu wordt toegeschreven aan Memling (afb. 1 op p. 52). Deskundigen waren het erover eens dat hij het ver onder de werkelijke waarde had kunnen kopen. Met een budget van slechts een paar duizend gulden op zak was hij ook in Parijs toen daar in 1896 *Het puttertje* van Carel Fabritius (afb. 1 op p. 198) ter veiling kwam. Bredius beschreef later met voldoening dat hij zo slim was geweest om een stroman te laten bieden omdat hij bang was dat zijn belangstelling de prijs zou opdrijven.

14 Gerard van Honthorst *Fruitplukkende putto* (ca. 1630/35), schilderij op doek, 108,5 × 83,5 cm, inv.nr. 65

14 Gerard van Honthorst *Fruit-picking putto* (ca 1630/35), oil on canvas, 108.5 × 83.5 cm, inv.no 65

in 1766, as this kind of reparation. When country houses were pulled down around The Hague, the official portraits they had previously housed found a suitable home in the Mauritshuis too: Willem van Honthorst's *Portrait of Willem III as a child* (ill. 2 on p. 47), for example, had originally hung in Huis ten Bosch Palace, whilst his *Portrait of Frederik Hendrik and Amalia van Solms* (ill. 13) came from Constantijn Huygens's house. Honthorst's *Fruit-picking putto* has now been mounted in the wall decoration above the door – just as it used to be in Honselaarsdijk Palace in 1707 (ill. 14). Similarly, Abraham Bloemaert's *Wedding of Peleus and Thetis* has been set in the mantelpiece in the Van der Weyden Room (ill. 2 on p. 63), as it seems to have been originally designed for this purpose, possibly even as a commission from the court. Large-scale decorative pieces in the present collection are *The Infant Zeus on Crete* by Nicolaes Berchem (ill. 1 on p. 206) and *Mercury, Argus and Io* by Jacob van Campen (ill. 3 on p. 163). The latter was painted by the architect of the Mauritshuis and has the same format as the insets above the mantelpieces in the Potter Room, which were designed by Pieter Post (ill. 6). Unfortunately, the fireplaces themselves are no longer intact.
Several pictures in the collection belonged at one time to the English royal family. Gerard Dou's *Young Mother* (ill. 3 on p. 177), one of the pictures that was presented to Charles II with the 'Dutch Gift', was taken back to Holland by Stadholder Willem III after his accession to the English throne in 1688. The painting was subsequently added to the collection of the renovated palace Het Loo. Hans Holbein's *Portrait of Robert Cheseman* (ill. 1 on p. 88) and other portraits by Henry VIII's court painter came to the Netherlands in the same way, which later gave rise to protests from Queen Anne: but to no avail.

14

Inmiddels verrijkten ook legaten de collectie in het Mauritshuis. Een hoogtepunt was de verwerving van vijfentwintig schilderijen uit de collectie Bredius, die al vele jaren als bruiklenen in het museum hingen. Daarbij was Rembrandts *Homerus dicteert zijn verzen* (afb. 1 op p. 182), *Saul en David* en *Twee moren* (afb. 1 op p. 180). Eveneens door een legaat was het Mauritshuis in 1903 in het bezit gekomen van verschillende topstukken, zoals het bij het publiek zo geliefde *Meisje met een tulband* van Johannes Vermeer (afb. 1 op p. 118). Dit schilderij was een geschenk van A.A. des Tombe, die het in 1882 voor nog geen rijksdaalder had gekocht. Dank zij het geschenk van Des Tombe verwierf het museum tevens de prachtige *Vaas met bloemen in een nis* van Ambrosius Bosschaert (afb. 1 op p. 66). Een belangrijke schenking deed Sir Henry Deterding in 1936, met onder andere *De oestereetster* van Jan Steen (afb. 1 op p. 122).
Bredius werd in 1909 opgevolgd door Willem Martin. Tijdens diens directeurschap kwam in 1913 in Parijs de collectie Steengracht ter veiling, een verzameling met zeventiende-eeuwse meesterwerken die lange tijd in een huis aan de Vijverberg de schatten van het Mauritshuis concurrentie aandeed. Gelukkig bestond inmiddels de Vereniging Rembrandt, een particulier initiatief dat pal stond voor het behoud van kunstwerken, als de overheid zich 'op z'n smalst' toonde. De Vereniging Rembrandt kocht vijf schilderijen voor het Mauritshuis met behulp van giften van het koninklijk huis en veel particulieren, zodat de regering evenmin achter kon blijven en een extra aankoopkrediet verleende. Zo kwam het museum in het bezit van *De luizenjacht* van Gerard ter Borch (afb. 1 op p. 108) en *'Zoals de ouden zongen, zo piepen de jongen'* van Jan Steen (afb. 1 op p. 126). Zo'n gezamenlijke financiële krachtsinspanning was ook nodig om in 1925 *Reizigers voor een herberg* van Isack van Ostade (afb. 1 op p. 200) aan te kunnen kopen, een schilderij dat nota bene in de befaamde Wallace Collection in Londen had gehangen (afb. 16). Martin was terecht trots op deze aanwinst.

15 Antoon François Heijligers *Interieur van de Rembrandtzaal in het Mauritshuis* 1884, paneel, 47 × 59 cm., inv.nr. 1055

15 Antoon François Heijligers *Interior of the Rembrandt Room in the Mauritshuis* 1884, oil on panel, 47 × 59 cm, inv.no 1055

15

The Mauritshuis seems to have a number of paintings which were either made for or later acquired by the stadholders. There are two closely connected motives which underlie the Orange's collecting activities in the 18th century: family pride and national sentiment. One of the reasons for the hereditary Stadholder Willem IV purchasing Paulus Potter's *Bull* in 1749 was that it was then considered to be 'his most striking work known in the country'. From 1760 the court was once again actively involved in the (national) art market. A special acquisition was *The tomb of William of Orange in Delft* by Gerard Houckgeest (ill. 1 on p. 202). Willem V was 16 years old when he bought this picture in 1764. The image of this national monument had, of course, a special appeal for him and it was his interest in history which again persuaded him to buy Jan Steen's so-called *'Poultry-yard'* (ill. 1 on p. 130) ten years later. The salesman wilfully led him to believe that one of the Princesses of Orange was depicted in it. Likewise, Caesar van Everdingen's *Diogenes looking for an honest man* (ill. 1 on p. 164) was supposed to include the ancestors of Pieter Steyn, Willem V's personal advisor.

As has already been mentioned, the Stadholder's collection was opened to the public in 1774. 100 Years later the Royal Cabinet of Pictures had become the sole occupant of the Mauritshuis. Meanwhile, as De Stuers so rightly observed in 1874, it had acquired the reputation of a great museum. In 1884 A.F. Heijligers painted the *Interior of the Rembrandt Room* (ill. 15). *The Bull* and *Dr. Tulp's anatomy lesson* were major tourist attractions which, in particular, attracted many foreign visitors to The Hague. The well-known French critic Thoré-Bürger came to The Hague to study the great masters of the Golden Age and through his writings even came to be known as the rediscoverer of Vermeer. In rather dramatic terms he described his long journey to The Hague and the endless formalities he had been put through to obtain a photograph of the *View of Delft*. The Mauritshuis lived up to its new status both in its choice of new acquisitions and in the publication of scholarly catalogues. After Abraham Bredius's appointment to the post of director in 1889, the collection was once again enriched with interesting pieces on a regular basis. In 1894 Bredius was in London, where he bought a completely unknown *Portrait of a man*, then alleged to be by Antonello da Messina but now attributed to Memling (ill. 1 on p. 52). Experts agreed that he had managed to buy it for much less than its actual value. In the same vein, Bredius found himself in Paris in 1896 with a budget of no more than a few thousand guilders when Carel Fabritius's *Goldfinch* came up for auction there (ill. 1 on p. 198). Afterwards he proudly described how he had asked a friend to do the bidding so that his interest in the picture would not push up the price. Meanwhile the collection in the Mauritshuis was also endowed with various bequests. An important event was the acquisition of 25 pictures from Bredius's own collection which for many years had been hanging in the museum on loan. Among these were Rembrandt's *Homer dictating his verse* (ill. 1 on p. 182), *Saul and David* and *Two moors* (ill. 1

Na de Tweede Wereldoorlog werd de collectie van het Mauritshuis aangevuld met schilderijen die als genaast bezit geretourneerd werden uit Duitsland. Uit de voormalige collectie Mannheimer verkreeg men zo enkele topstukken: het *Gezicht op de Oudezijds Voorburgwal te Amsterdam* van Jan van der Heyden (afb. 1 op p. 204) met zijn veelbewogen voorgeschiedenis (gekocht in 1713 door de bekende Delftse verzamelaar Valerius Röver in een herberg te Maassluis, van diens weduwe verworven door Wilhelm VIII van Hessen, geroofd door de Fransen uit Kassel, gekocht van keizerin Josephine door de Russische tsaar, van de hand gedaan door de Sovjets omstreeks 1935, door de Nazi's voor het museum in Linz bestemd) en de delicaat geschilderde *Bordeelscène* van Frans van Mieris (afb. 1 op p. 112). In 1947 werd van de familie Rathenau het *Zelfportret* uit Rembrandts laatste levensjaar gekocht (afb. 1 op p. 184), dat al voor de oorlog in bruikleen aan het Rijksmuseum gegeven was. Dergelijke uitzonderlijke schilderijen pasten bij het aanzien dat het Mauritshuis zich had verworven bij kunstkenners en bij het publiek.
Het aankoopbeleid van de laatste decennia bleef aangepast aan de lijn die was uitgezet door koning Willem I: er werd naar bijzondere stukken gezocht (liefst uit de Gouden Eeuw) zonder kunsthistorische volledigheid na te streven. Een verbreding van het verzamelgebied was de verwerving van *De hemelvaart van Maria* van Rubens (afb. 1 op p. 92) en *De aanbidding van de herders* van Jordaens (afb. 1 op p. 102). Daarentegen werden aan het Rijksmuseum de Italiaanse (en enkele Spaanse en Franse) schilderijen in langdurig bruikleen gegeven, terwijl daarvoor in ruil Vlaamse en enkele Duitse schilderijen uit de vijftiende en zestiende eeuw, enkele Vlaamse werken uit de zeventiende eeuw en een collectie miniaturen (afb. 17-18) werden verkregen. Zo verhuisden het *Portret van Francesco Giamberti* en het *Portret van Giuliano da San Gallo* van Piero di Cosimo naar Amsterdam en belandde het *Portret van Floris van Egmond* van Jan Gossaert (afb. 1 op p. 56) in Den Haag.
Van de aankopen uit de laatste twintig, dertig jaar die de trouwe museumbezoekers het meest in hun hart hebben gesloten dienen vermeld te worden: *Twee Braziliaanse schildpadden* van Albert Eckhout (afb. 1 op p. 150), *Een lachende jongen* van Frans Hals (afb. 1 op p. 194), *De Mariaplaats met Mariakerk te Utrecht* van Pieter Saenredam (afb. 1 op p. 120) en het *Stilleven met stenen kruik en pijpen* van Pieter van Anraadt (afb. 1 op p. 110), dat men soms voor een vroeg werk van Vermeer aanziet. In de entourage van grote meesters krijgt het werk van minder bekende schilders extra glans. Ook dat is een van de bijzondere aspecten die de collectie van het Mauritshuis biedt.

1987

Het Mauritshuis is steeds een 'kabinet' gebleven: klein maar fijn. De internationale allure die het museum in de loop der jaren heeft gekregen, dankt het aan de wereldwijde waardering bij kunstkenners en publiek voor de schilderijen uit de Hollandse Gouden Eeuw, waarvan het zoveel uitzonderlijke voorbeelden kan

16 Het schilderij *Reizigers voor een herberg* van Isack van Ostade in de Wallace Collection, Londen

16 Isack van Ostade's painting *Travellers outside an inn* hanging in the Wallace Collection, London

on p. 180). Through another bequest, in 1903, the Mauritshuis came into possession of several masterpieces, including Johannes Vermeer's *Girl with a turban* (ill. 1 on p. 118), which is one of the public's favourites. The picture was donated by A.A. des Tombe, who had bought it for less than a 'rijksdaalder' (two guilders and fifty cents) in 1882. Des Tombe also left the museum the beautiful *Vase with flowers in a niche* by Ambrosius Bosschaert (ill. 1 on p. 66). In 1936 Sir Henry Deterding made the museum a major bequest: among the works was the *Girl eating oysters* by Jan Steen (ill. 1 on p. 122).
In 1909 Willem Martin succeeded Bredius to the post of director. During his directorship, in 1913, the Steengracht Collection came up for auction in Paris. This collection comprised 17th-century masterpieces which for a long time had been on display in a house on the Vijverberg, where they competed for the visitor's attention with the treasures in the Mauritshuis. Fortunately the Rembrandt Society had been founded by this time, on private initiative, which would intervene to buy works of art whenever the Government, out of philistinism, refused. Supplemented by contributions from the royal family and many private individuals, the Rembrandt Society secured five paintings for the Mauritshuis which resulted in the government eventually feeling compelled to grant additional funds for purchasing. The museum thus acquired Gerard ter Borch's *Louse hunt* (Ill. 1 on p. 108) and *'The way you hear it, is the way you sing it'* by Jan Steen (ill. 1 on p. 126). A similar financial joint-venture was called for to buy Isack van Ostade's *Travellers outside an inn* (ill. 1 on p. 200), a painting which in fact came from the famous Wallace Collection in London (ill. 16). Martin was proud of this acquisition; with good reason.

16

tonen. In navolging van de publikaties van jonkheer Steengracht en Victor de Stuers werden wetenschappelijke catalogi gepubliceerd die standaardwerken werden, zoals de 'catalogue raisonné' van A. Bredius (en Hofstede de Groot) in 1895 en die van W. Martin in 1935. De Engelse editie van mijn boek *Meesterwerken in het Mauritshuis* (1987) zal het eerste deel worden van een nieuwe 'catalogue raisonné'. Van tijd tot tijd trokken tentoonstellingen de aandacht: *Jan Steen* (1958/59), *In het licht van Vermeer* (1966), *Gerard ter Borch* (1974) en *Jacob van Ruisdael* (1981). Johan Maurits werd herdacht met exposities in 1953 en 1979/80 en met een gedenkboek driehonderd jaar na zijn dood (1979). Veel steun ondervindt het museum van de Stichting Johan Maurits van Nassau, die sinds 1986 Stichting Vrienden van het Mauritshuis wordt genoemd, als medefinancier bij belangrijke aankopen. Ondanks periodieke moderniseringen bleef het museum technisch gezien een gebouw uit de tijd van de potkachel (afb. 19). In 1982 werd daarom een ingrijpende restauratie aangevangen die zou moeten voorzien in een goede klimaatbeheersing, brandbeveiliging, behoorlijke depots, faciliteiten voor het publiek, benevens een nieuwe bibliotheek en kantoorruimten. Tijdens deze operatie, die ruim vijf jaar duurde, trok een selektie van de fraaiste schilderijen een miljoenenpubliek in Amerika, Canada, Japan en Frankrijk.
Op 4 juni 1987 heropende koningin Beatrix onder grote belangstelling van pers en publiek een geheel gerenoveerd en aan de eisen van de tijd aangepast Mauritshuis. Met een van buiten onzichtbare uitbouw onder het voorplein was het vloeroppervlak vergroot met maar liefst 700 vierkante meter. In zijn deftige jas met de Ionische pilasters was een geheel verjongd museum gestoken dat naar verwachting vele generaties zal kunnen overleven. De grootste aantrekkingskracht van het Mauritshuis bleef het samengaan van een historisch woonhuis

17 Benjamin Arlaud *Portret van stadhouder-koning Willem III* (ca. 1700), perkament op karton, 9,4 × 7 cm, inv. nr. 997
18 John Hoskins *Portret van koningin Henrietta Maria* 1632, perkament op karton en paneel, diameter 17,6 cm, inv. nr. 1004

17 Benjamin Arlaud *Portrait of Stadtholder-King William III* (about 1700), parchment on cardboard, 9.4 × 7 cm, inv. no. 997
18 John Hoskins *Portrait of Queen Henrietta Maria* 1632, parchment on cardboard and panel, diameter 17.6 cm, inv. no. 1004

18

17

After the second World War the Mauritshuis collection was augmented with a number of pictures which, after original confiscation, had been recovered from Germany. In this way several masterpieces from what had formerly been the Mannheimer Collection found their way into the museum: the *View of Amsterdam showing the Oudezijds Voorburgwal* by Jan van der Heyden (ill. 1 on p. 204), a picture with an eventful past (bought in 1713 by the famous Delft collector Valerius Röver in an inn at Maassluis; sold by his widow to Wilhelm VIII of Hessen; stolen from Kassel by the French; bought by the Russian Tsar from the Empress Josephine; sold by the Soviets in about 1935; assigned to the museum in Linz by the Nazis), and the delicately painted *Brothel scene* by Frans van Mieris (ill. 1 on p. 112). In 1947 the museum purchased Rembrandt's *Self-portrait* (ill. 1 on p. 184) from the Rathenau family. It dated back to the last year of his life, and had been on loan to the Rijksmuseum before the war. Such exceptional pictures befitted the reputation the Mauritshuis had acquired both with the public and with connoisseurs of art. Over the last decades that buying policy has remained in line with the trend set by King Willem I: always to endeavour to acquire pieces of exceptional significance (preferably from the Golden Age) without trying to make the collection complete. With the acquisition of Rubens's *Assumption of the Virgin* (ill. 1 on p. 92) and Jordaens's *Adoration of the shepherds* (ill. 1 on p. 102) an extra dimension was added to the collection. In return for the Italian (and several Spanish and French) pictures which were given on long-term loan to the Rijksmuseum, the Mauritshuis received a number of Flemish and German paintings from the 15th and 16th centuries, a few 17th-century Flemish master works and a collection of miniatures (ill. 17-18). In this way Piero di Cosimo's *Portrait of Francesco Giamberti* and his *Portrait of Giuliano da San Gallo* went to Amsterdam, while Jan Gossaert's *Portrait of Floris van Egmond* (ill. 1 on p. 56) came to The Hague. Among the loyal visitors' favourite acquisitions made over the last 20 to 30 years are: *A pair of Brazilian tortoises* by Albert Eckhout (ill. 1 on p. 150), *A laughing boy* by Frans Hals (ill. 1 on p. 194), Pieter Saenredam's *Mariaplaats with the Church of Our Lady in Utrecht* (ill. 1 on p. 120) and Pieter van Anraadt's *Still-life with a stoneware jug and pipes* (ill. 1 on p. 110), which has sometimes been mistaken for an early work by Vermeer. Alongside the great masters the pictures of less well-known artists gain in lustre, yet another special facet of the Mauritshuis Collection.

1987

The Mauritshuis has always remained a 'cabinet': small but select. The museum owes its international reputation, which has been built up over the years, to the appreciation shown by art experts and public alike for the paintings from the Dutch Golden Age, of which so many exceptional examples are to be seen in the Mauritshuis. After the early publications by Johan

met een wereldvermaarde verzameling schilderijen. De bezoeker wordt nu verwelkomd in een ruime statige hal, waar de portretten van 'Maurits de Braziliaan' en vorstelijke begunstigers van de collectie hem welwillend aanzien, waarna het bezichtigen van de schilderijen een hele belevenis is. Om de bezoeker te begeleiden zijn in de zalen informatiebladen beschikbaar. Voorzieningen als garderobe en boekwinkel (geëxploiteerd door enthousiaste vrijwilligers) zijn in het souterrain te vinden. De huiselijkheid van de voormalige stadswoning wordt thans inwendig beklemtoond door de zware gordijnen voor de ramen, de schouwen waarin weer oude schoorsteenstukken zijn opgenomen en door de warme gele, rode en groene wandbespanningen in zeventiende- en achttiende-eeuwse stijl. Sfeervol zijn ook de twinkelende kroonluchters naar eigentijds ontwerp.
De confrontatie van de Gouden Eeuw met de twintigste eeuw vond in alle hevigheid plaats in het najaar van 1987, toen in de trapzaal twee grote plafondschilderingen van Ger Lataster (geboren in 1920) (afb. 20) werden onthuld. Het was zijn opdracht een 'feestelijk-dynamisch' element aan te brengen, waarmee iets van de sfeer van de oorspronkelijke inrichting zou worden teruggebracht. Heden en verleden staan eveneens oog in oog in de overloop van oud- naar nieuwbouw, waar Andy Warhols zeefdruk met het *Portret van koningin Beatrix* (afb. 21) is opgehangen tegenover het borstbeeld van Johan Maurits (afb. 8). Achter de rug van de eerste bewoner van het huis is nu een nieuw studiecentrum gevestigd met een biblio- en mediatheek, de museumarchieven en een depot, waar voldoende ruimte is voor minutieus onderzoek van schilderijen. De hier geboden mogelijkheden tot studie zouden 'Maurits de Braziliaan' waarschijnlijk met trots hebben vervuld, omdat hij zelf zo'n hartstochtelijk promotor van kunsten en wetenschappen is geweest.

Ben Broos

19 De Potterzaal omstreeks 1900

19 The Potter Room in about 1900

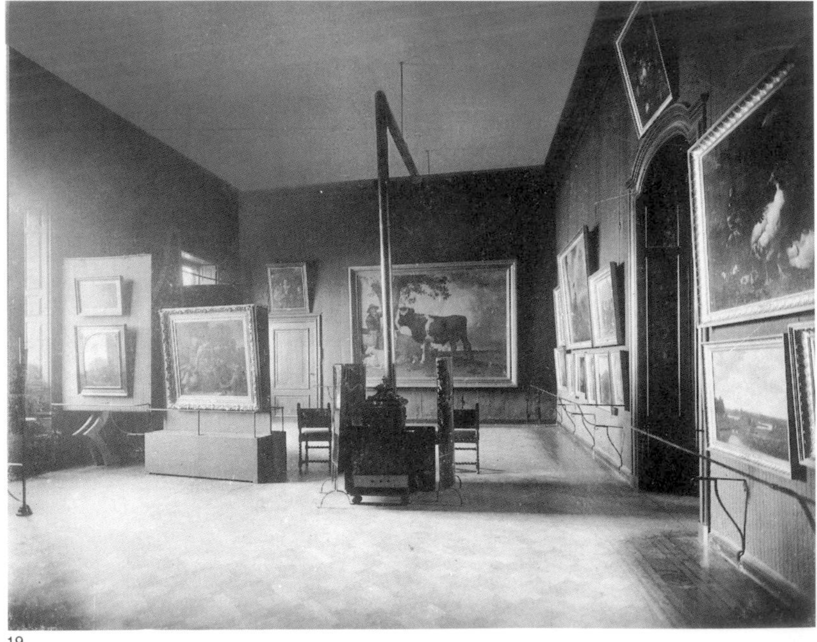

19

Steengracht and Victor de Stuers, there followed a series of scholarly catalogues which were to become standard works, like the 'catalogue raisonné' of 1895 by A. Bredius (and Hofstede de Groot) and that of W. Martin published in 1935. The English edition of my book 'Masterpieces in the Mauritshuis' (1987) will become the first volume of a new 'catalogue raisonné'. From time to time the museum has organized spectacular exhibitions: *Jan Steen* (1958/59), *In the light of Vermeer* (1966), *Gerard ter Borch* (1974) and *Jacob van Ruisdael* (1981). Johan Maurits was commemorated in two exhibitions (1953 and 1979/80) and in a memorial volume to mark the tercentenary of his death (1979). For important acquisitions the museum depends to a great extent on the financial assistance of the 'Johan Maurits van Nassau Foundation', since 1986 known as the 'Friends of the Mauritshuis Foundation'. Despite periodic attempts at modernization the museum remained from the technical viewpoint a building reminiscent of the days of the coal stove (ill. 19). Therefore, in 1982 a drastic restoration programme was undertaken in order to provide the house with proper air conditioning, fire protection, good storage space for paintings, public facilities and a new library and office accommodation as well. During this operation, which took five years, a selection of the museum's masterpieces attracted millions of visitors in America, Canada, Japan and France.
On 4 June 1987 an entirely renovated Mauritshuis, fully adapted to meet present-day standards, was re-opened by Queen Beatrix attracting great interest from the public and the media alike. A split-level lower-basement beneath the forecourt, which is invisible from the outside, added a good 700 square metres to the floor area. The museum's stately facade, with its Ionic pilasters, masked the activity within – it underwent complete moderni-

20 Ger Lataster *Icarus Atlanticus* 1987, schilderijen op doek, elk 500 × 500 cm, inv.nr. 1082-1083

20 Ger Lataster *Icarus Atlanticus* 1987, oil on canvas, each 500 × 500 cm, inv.no 1082-1083

20

Bibliografie/**Bibliography**

W. Martin, *Musée royal des tableaux Mauritshuis à la Haye. Catalogue raisonné des tableaux et sculptures*, Den Haag/The Hague 1935

Cat. *Zo wijd de wereld strekt*, Den Haag/The Hague (Mauritshuis), 1979/80

E. van den Boogaart (ed.), *Johan Maurits van Nassau-Siegen 1604-1679. A humanist prince in Europe and Brazil*, Den Haag/The Hague 1979

H.R. Hoetink (ed.), *The Royal Picture Gallery Mauritshuis*, Amsterdam/New York 1985

Ben Broos e.a., Cat. *De Rembrandt à Vermeer* Paris (Grand Palais) 1986

Ben Broos, *Meesterwerken in het Mauritshuis*, Den Haag/The Hague 1987

Evelyn de Regt, *Mauritshuis. De Geschiedenis van een Haags stadspaleis*, Den Haag/The Hague 1987

21

zation and is now expected to serve many future generations. The Mauritshuis owes a great deal of its popularity to its dual attraction: as a residence of historical interest and a museum with a world famous collection of pictures. Today, the visitor is welcomed by a spacious stately hall from which portraits of 'Maurits the Brazilian' and various royal benefactors of the collection glance down at him charitably. The viewing of the collection which is to follow is a remarkable experience. In order to provide the visitor with some guidance, there are information sheets in each room. In addition, a cloak-room and book shop (which is run by a team of enthusiastic volunteers) can be found in the basement. The domestic character of this former residence is now accentuated internally by the heavy curtains at the windows, the mantelpieces, once again decorated with old chimney-breast paintings, and the warm-coloured wall coverings (yellow, red and green) in 17th and 18th-century style. The glittering chandellers, of modern design, are also an attractive feature of the interior. A spectacular confrontation between the Golden Age and the 20th century took place in the autumn of 1987, when two large ceiling paintings by Ger Lataster (born 1920) were unveiled on the Main Landing which is on the first floor (ill. 20). He was commissioned to add a 'festively dynamic' element which would revive something of the original atmosphere of the interior. Past and present come face to face again on the landing which connects the old structure with the new basement extension: opposite the bust of Johan Maurits (ill. 8) hangs Andy Warhol's screen print, his *Portrait of Queen Beatrix* (ill. 21). The house's first inhabitant now stands with his back to a new research centre which consists of a conventional library and a media library, the museum's archives and storage space for paintings – which is large enough for the paintings to be submitted to detailed examination. Having been a passionate promotor of the arts and sciences himself, 'Maurits the Brazilian' would probably have been delighted to see the study facilities provided by this centre.

Ben Broos

21 Andy Warhol *Portret van koningin Beatrix* 1985, zeefdruk, 100 × 80 cm, inv.nr. 1080

21 Andy Warhol *Portrait of Queen Beatrix* 1985, screenprint, 100 × 80 cm, inv.no 1080

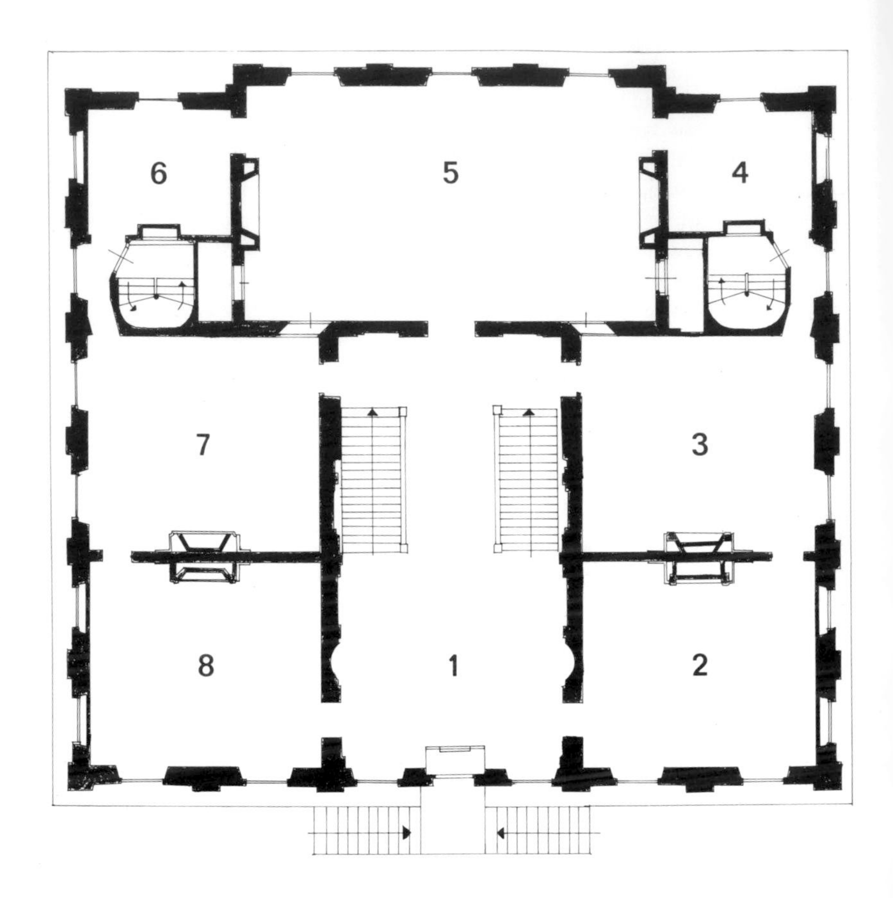

Beletage

1 Hal (entree en trappenhuis)
2 Van der Weydenzaal
3 Bosschaertzaal
4 Troostkabinet
5 Gouden zaal
6 Holbeinkabinet
7 Vlamingenzaal I
8 Vlamingenzaal II

Ground-floor

1 Hall (entrance and staircase)
2 Van der Weyden Room
3 Bosschaert Room
4 Troost Cabinet
5 Golden Room
6 Holbein Cabinet
7 Flemish Room I
8 Flemish Room II

FLOOR-PLAN OF THE MAURITSHUIS

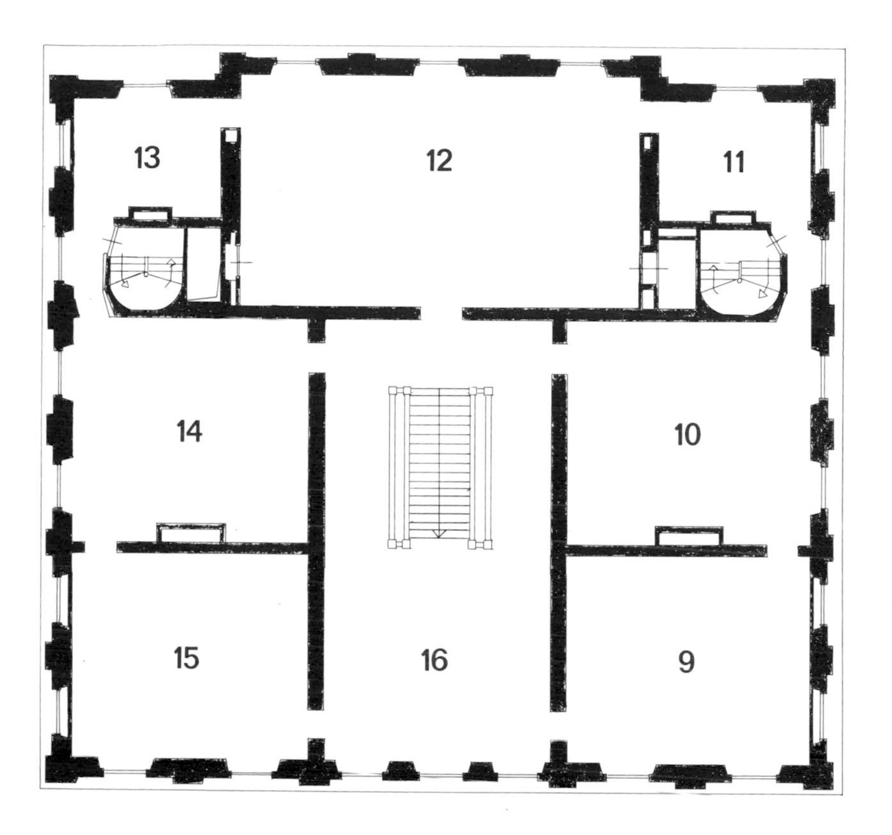

Eerste verdieping

9	Vermeerzaal
10	Steenzaal
11	Vroeg zeventiende-eeuws kabinet
12	Potterzaal
13	Laat zeventiende-eeuws kabinet
14	Rembrandtzaal I
15	Rembrandtzaal II
16	Trapzaal

First floor

9	**Vermeer Room**
10	**Steen Room**
11	**Early 17th-century Cabinet**
12	**Potter Room**
13	**Late 17th-century Cabinet**
14	**Rembrandt Room I**
15	**Rembrandt Room II**
16	**Main Landing**

In de hal en in het trappenhuis van het museum hangen portretten van belangrijke persoonlijkheden uit de geschiedenis van het huis en de collectie. De stichter van het Mauritshuis, Johan Maurits, graaf (later prins) van Nassau Siegen (1604-1679) is vertegenwoordigd in een portret van Jan de Baen. Hij was gouverneur van Brazilië (1636-1644) en stadhouder van Kleef (1647-1679). De Baen portretteerde hem voor een afbeelding van het amfitheater in Kleef. Op een portret van Gerard van Honthorst staat prins Willem III afgebeeld als kind met zijn elfjarige tante Maria van Nassau. Johann Georg Ziesenis schilderde omstreeks 1768 het *Portret van stadhouder Willem V.* Het *Portret van koning Willem I* werd in 1816 geschilderd door Charles Howard Hodges. Het 'Kabinet van Willem V' vormt de kern van de museumcollectie, die belangrijk werd verrijkt dank zij het mecenaat van koning Willem I.

1

Historical portraits

The portraits which are hanging in the hall and along the staircase of the museum represent a number of eminent personalities from the history of the Mauritshuis and its collection. A portrait by Jan de Baen shows us the founder of the building, Johan Maurits, Count (later Prince) van Nassau Siegen (1604-1679). He was Governor of Brazil (1636-1644) and later became Stadholder of Cleves (1647-1679). De Baen depicted him standing in front of the amphitheatre in Cleves. There is a portrait by Gerard van Honthorst of Prince Willem III as a child with his 11-year-old aunt, Maria van Nassau. In ca 1768 Johan Georg Ziesenis painted the *Portrait of Stadholder Willem V*. The *Portrait of King Willem I* was done in 1816 by Charles Howard Hodges. The 'Prince Willem V Picture Gallery' constitutes the nucleus of the museum's collection, which was considerably enriched through the patronage of Willem I.

1 Jan de Baen, *Portret van Johan Maurits* (na 1660), schilderij op doek, 157,2 × 114 cm, inv.nr. 5
2 Gerard van Honthorst *Portret van prins Willem III als kind met zijn tante Maria van Nassau* 1653, schilderij op doek, 130,5 × 108,2 cm, inv.nr. 64

1 Jan de Baen *Portrait of Johan Maurits* (after 1660), oil on canvas, 157.2 × 114 cm, inv.no 5
2 Gerard van Honthorst *Portrait of Prince Willem III as a child with his aunt Maria van Nassau* 1653, oil on canvas, 130.5 × 108.2 cm, inv.no 64

2

3

3 Johann Georg Ziesenis *Portret van Willem V* (1768), schilderij op doek, 141 × 101 cm, inv.nr. 462
4 Charles Howard Hodges *Portret van koning Willem I* 1816, schilderij op doek, 230 × 146 cm, inv.nr. AHM A 1770

3 Johann Georg Ziesenis *Portrait of Willem V* (1768), oil on canvas, 141 × 101 cm, inv.no 462
4 Charles Howard Hodges *Portrait of King Willem I* 1816, oil on canvas, 230 × 146 cm, inv.no AHM A 1770

4

Hendrik Ambrosius Pacx
De prinsen van Oranje en hun familie op het Buitenhof

Het kostuum van de amazone links situeert deze ruiterstoet omstreeks 1625. In dat jaar trouwde Frederik Hendrik met Amalia van Solms, die in dit gezelschap ontbreekt. De prinsen van Oranje zijn te paard gegroepeerd rond de Vader des Vaderlands die al in 1584 was overleden. De gebeurtenis berust dus op fantasie, maar de omgeving is zo veel mogelijk naar de werkelijkheid gedaan. Tussen de Sebastiaansdoelen links achter en Het Torentje aan het Binnenhof verrees omstreeks 1640 het huis van Johan Maurits van Nassau, het latere Mauritshuis.

1

Hendrik Ambrosius Pacx
The Princes of Orange and their family in the Buitenhof

The costume of the horsewoman on the left dates this group of riders to approximately 1625. In that year Frederik Hendrik married Amalia van Solms. She is not part of this company. The artist has carefully grouped the mounted Princes of Orange around their ancestor, Willem I, who had been dead since 1584. So the event is imaginary but the scenery is true to life. The residence of Johan Maurits van Nassau, now known as the Mauritshuis, was to be built behind, between the Sebastiaansdoelen and the small Binnenhof Tower.

1 Hendrik Ambrosius Pacx *De prinsen van Oranje en hun familie op het Buitenhof* (ca. 1625), schilderij op doek, 145 × 214 cm, inv.nr. 546

2
1 Frederik V, keurvorst van de Palts en koning van Bohemen
2 Elisabeth Stuart, de 'Winterkoningin'
3 Een gemaskerde vrouw, die vroeger aangezien werd voor de minnares van prins Maurits
4 Maurits, prins van Oranje
5 Philips Willem, prins van Oranje
6 Willem I, prins van Oranje
7 Frederik Hendrik, prins van Oranje
8 Willem Lodewijk, graaf van Nassau
9 Christiaan van Brunswijk(?)
10 Ernst Casimir, graaf van Nassau-Dietz

1 Hendrik Ambrosius Pacx *The Princes of Orange and their family in the Buitenhof* (ca 1625), oil on canvas, 145 × 214 cm, inv.no 546

2
1 Frederik V, Electoral Prince of the Palatinate and King of Bohemia
2 Elisabeth Stuart, known as 'the Winter Queen'
3 A masked lady, formerly thought to be Prince Maurits's mistress
4 Maurits, Prince of Orange
5 Philips Willem, Prince of Orange
6 Willem I, Prince of Orange
7 Frederik Hendrik, Prince of Orange
8 Willem Lodewijk, Count van Nassau
9 Christiaan van Brunswick(?)
10 Ernst Casimir, Count van Nassau-Dietz

2

Hans Memling
Portret van een onbekende Italiaan(?)

Dwars over de neus van deze onbekende man loopt een litteken – zulke persoonlijke trekjes schilderde Memling graag. Wellicht om zijn vermogen individuen te schilderen, genoot hij populariteit als portrettist van de Brugse clerus, de notabelen en de handelaren uit den vreemde. Met zijn bruine ogen en donkere krullen lijkt deze man een zuiderling, een van die Italiaanse kooplieden die in Brugge waren neergestreken. Hij poseert met gevouwen handen, kennelijk in aanbidding voor een (nu ontbrekende) *Madonna met kind*. Het landschap op de achtergrond is Vlaams. Het helaas deels overschilderde wapenschild op de achterkant van het paneel geeft (nog) geen uitsluitsel over zijn identiteit.

1

Hans Memling
Portrait of an unknown Italian(?) gentleman

Memling painted a scar right across the nose of this unidentified man; he enjoyed adding personal details of this type. It was probably on account of this ability to characterize individuals that he was popular as a portraitist among the clergy and dignitaries of Bruges, and among the foreign merchants staying in the town. With his brown eyes and dark curly hair this man seems to be a southerner, one of those Italian merchants who had settled in Bruges. He poses with his hands joined in prayer, apparently in adoration of a *Madonna and child* (now missing). The scenery in the background is Flemish. The coat of arms on the verso, part of which has been painted over, has not (yet) disclosed the secret of his identity.

1 Hans Memling *Portret van een onbekende Italiaan(?)* (ca. 1485/90), schilderij op paneel, 30,1 × 22,3 cm, inv.nr. 595
2 Achterkant van *Portret van een onbekende Italiaan(?)*

1 Hans Memling *Portrait of an unknown Italian(?) gentleman* (ca 1485/90), oil on panel, 30.1 × 22.3 cm, inv.no 595
2 Verso of *Portrait of an unknown Italian(?) gentleman*

2

Anoniem
Vanitas

'Memento mori' (gedenk te sterven) staat onder de doodskop die op een vensterbank ligt. We hebben uitzicht op een Jeroen Bosch-achtig landschap met een verdrinkende man die in wanhoop de armen ten hemel heft tegen een achtergrond van brandende ruïnes. Dit *vanitas*-stilleven kan men vergelijken met sommige voorstellingen op de buitenkant van tweeluiken met portretten, zoals we die kennen van onder andere Bartel Bruyn uit 1524. Wie zich destijds liet portretteren gaf zich aldus rekenschap van zijn eigen sterfelijkheid.

1 Anoniem *Vanitas* (ca. 1530/50), schilderij op paneel, 34,2 × 26cm, inv.nr. 694
2 Bartel Bruyn de Oude *Portret van een vrouw* 1524, schilderij op paneel, Otterlo, Rijksmuseum Kröller-Müller
3 Bartel Bruyn de Oude *Vanitas* (achterzijde van *Portret van een vrouw*)

1 Anonymous *Vanity* (ca 1530/50), oil on panel, 34.2 × 26 cm, inv.no 694
2 Bartel Bruyn the Elder *Portrait of a woman* 1524, oil on panel, Otterlo, Rijksmuseum Kröller-Müller
3 Bartel Bruyn the Elder *Vanity* (verso of *Portrait of a woman*)

1

Anonymous
Vanity

'Memento mori' (remember that you are mortal) is the inscription under the skull which lies on the window-sill. The painting offers us a view of a Hieronymus Bosch-like landscape with a drowning man desperately stretching out his arms towards heaven against a background of blazing ruins. One might compare this *Vanity* still-life with the kind of image occasionally found on the verso of diptych portraits, like the one by Bartel Bruyn dating from 1524. At the time, people who had their portrait painted and had such a Vanitas included on the verso, were demonstrating their awareness of mortality.

2

3

Jan Gossaert
Portret van Floris van Egmond

Dit portret werd voor het eerst gesignaleerd op kasteel Buren in 1675. Voorgesteld is Floris van Egmond, graaf van Buren en heer van IJsselstein, de grootvader van Anna van Buren die trouwde met Willem van Oranje. Omdat het schilderij steeds in familiebezit is geweest, is de 'L' rechts geen vervalst monogram van Lucas van Leyden, maar de Latijnse aanduiding van de leeftijd van Floris, vijftig jaar. Zijn portret moet dan in 1519 zijn geschilderd. Hoewel hij jonger dan vijftig lijkt, wordt deze datering niet weersproken door een ander detail. Zoals op een eerder geschilderd portret van Floris door een anonymus werden de tekenen van de orde van het Gulden Vlies aanvankelijk aan een ketting gedragen: na 1516 werd ook een draaglint toegestaan, zodat het portret van Gossaert inderdaad na dat jaar moet zijn geschilderd.

1

2

Jan Gossaert
Portrait of Floris van Egmond

This portrait was first seen in Buren Castle in 1675. It represents Floris van Egmond, Count of Buren, Lord of IJsselstein, who was the grandfather of Anna van Buren, William of Orange's wife. Because the painting has always been in the hands of the family we know that the 'L' is not a forged monogram of Lucas van Leyden but indicates (in the Latin form) that the sitter's age was 50. This means that the portrait must have been painted in 1519. Although he looks younger than 50, there is another detail which seems to confirm this date. As we can see from an earlier – anonymous – portrait of Floris, the insignia of the Order of the Golden Fleece were originally worn on a chain: after 1516 members were also allowed to wear them on a ribbon, so that Gossaert's portrait was in all likelihood painted at a later date.

1 Anoniem *Portret van Floris van Egmond* (ca. 1505), schilderij op paneel, verblijfplaats onbekend
2 Detail met de ordetekenen van het Gulden Vlies
3 Jan Gossaert *Portret van Floris van Egmond* (1519), schilderij op paneel, 39 × 29,5 cm, inv.nr. 841

1 Anonymous *Portrait of Floris van Egmond* (ca 1505), oil on panel, present whereabouts unknown
2 Detail showing the insignia of the Golden Fleece
3 Jan Gossaert *Portrait of Floris van Egmond* (1519), oil on panel, 39 × 29.5 cm, inv.no 841

3

Rogier van der Weyden
De bewening van Christus

De beheerste emotie in deze *Bewening van Christus* is wel uitgelegd als een gebrek aan expressie. De enige man die zijn tranen laat zien is Johannes, die Maria ondersteunt. De anderen, Jozef van Arimathea en Nicodemus bij de voeten van Christus, kijken een beetje bedroefd, net als Petrus (met de sleutels) en Paulus (met het zwaard) achter de opdrachtgever, een Vlaamse bisschop in vol ornaat. De drie Maria's links huilen zachtjes. Hoewel de gebouwen in het landschap Vlaams zijn, is hier de Calvarieberg aangegeven met de schedel van Adam. Een technisch onderzoek toonde aan dat het ontwerp van de compositie op belangrijke punten afwijkt van wat we nu zien. De voeten van Christus vertoonden in de opzet een stand zoals op erkende werken van Rogier van der Weyden. Het ontwerp en de definitieve uitvoering met alle wijzigingen zijn derhalve van Rogier zelf: dat werd wel eens betwijfeld.

1 Rogier van der Weyden *De bewening van Christus* (ca. 1450?), schilderij op paneel, 80,5 × 129,5 cm, inv.nr. 264
2 Infraroodreflectogrammontage van de voeten van Christus
3 Rogier van der Weyden *De bewening van Christus* (ca. 1440/50), schilderij op paneel, Londen, National Gallery

1 Rogier van der Weyden *The Lamentation of Christ* (ca 1450?), oil on panel, 80.5 × 129.5 cm, inv.no 264
2 Infrared reflectogram montage of Christ's feet
3 Rogier van der Weyden *The Lamentation of Christ* (ca 1440/50), oil on panel, London, National Gallery

1

Rogier van der Weyden
The Lamentation of Christ

The restrained emotion in this *Lamentation of Christ* has sometimes been interpreted as a lack of expressiveness. The only man weeping is St John the Evangelist, who is supporting the Virgin Mary. The others, Joseph of Arimathaea and Nicodemus at the Saviour's feet, show a certain sadness. The same applies to St Peter (holding the keys) and St Paul (with the sword) who stand behind the donor, a Flemish bishop in full episcopal regalia. The three Marys to the left are weeping gently. Although the buildings in the landscape appear to be Flemish, we know from Adam's skull that this is the Hill of Calvary. Technical examination has revealed that the original composition differed substantially from what we now see. Christ's feet were originally drawn in a position which corresponds to that in autograph works by Rogier van der Weyden. It thus follows that both the preliminary design and the final painting with all its alterations were the work of Rogier himself: this theory has occasionally been called into question.

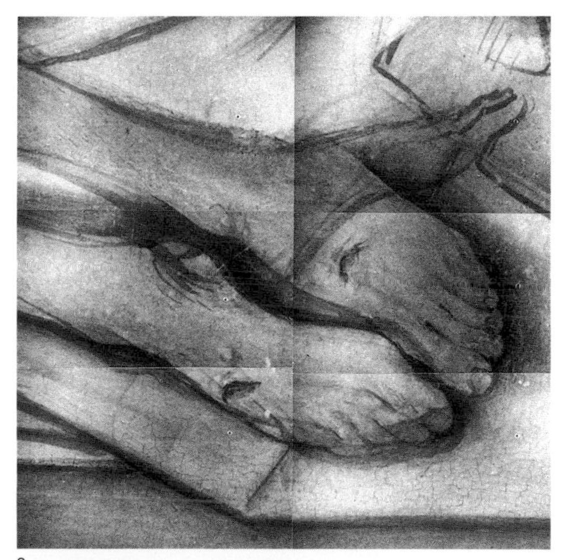

2

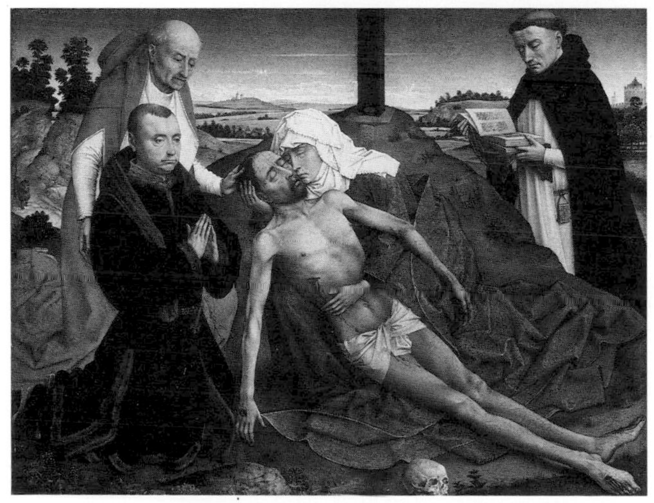

3

Herri met de Bles
Het aardse paradijs

De wateren en de lucht omcirkelen de aarde: de ronde vorm symboliseert de volmaaktheid van de schepping. In het firmament schijnen tegelijk de zon (links boven), de maan (rechts onder) en de sterren. Vogels vliegen door de lucht, vissen zwemmen in het water en op de aarde lopen allerlei dieren. Rond de levenswaterfontein speelt zich de geschiedenis van de eerste mens af in vier taferelen: van links naar rechts de schepping van Eva, het verbod om te eten van de boom der kennis, de zondeval en de verdrijving uit het paradijs. Herri met de Bles entte zijn wereldbeeld op een illustratie uit de Lutherbijbel en ontleende details aan houtsnedes van Dürer en Aldegrever.

1 Herri met de Bles *Het aardse paradijs* (ca. 1525/30), schilderij op paneel, diameter 47 cm, inv.nr. 959
2 Albrecht Dürer *De verdrijving uit het aardse paradijs* 1510, houtsnede
3 Monogrammist MS *De schepping van de wereld* 1534, houtsnede uit de Lutherbijbel

1 Herri met de Bles *Earthly paradise* (ca 1525/30), oil on panel, diameter 47 cm, inv.no 959
2 Albrecht Dürer *The Expulsion from paradise* 1510, woodcut
3 Monogrammist MS *The Creation of the world* 1534, woodcut from the Lutheran Bible

1

Herri met de Bles
Earthly paradise

The waters and the air encircle the earth: the round form symbolizes the perfection of creation. In the firmament, sun (top left) moon (bottom right) and stars are all shining at the same time. Birds fly through the air, fish are swimming in the water and the earth is inhabited by numerous animals. Around the Fountain of Life the history of the first man is depicted in four scenes (from left to right): the creation of Eve, Adam is forbidden to eat from the Tree of Knowledge, the Fall, and the Expulsion from Paradise. Herri met de Bles based his world view on an illustration from the Lutheran Bible and borrowed details from woodcuts by Dürer and Aldegrever.

3

2

Abraham Bloemaert
De bruiloft van Peleus en Thetis

Door de huwelijken van de vier dochters van Amalia van Solms met Duitse prinsen ging veel van de stadhouderlijke collecties voor Nederland verloren. De installatie van Abraham Bloemaerts *De bruiloft van Peleus en Thetis* als schoorsteenstuk in het Mauritshuis is bedoeld om weer een indruk te geven van de monumentale decoraties in de paleizen van Frederik Hendrik. Wellicht heeft de vijfenzeventigjarige Bloemaert in opdracht van het hof ook dit kapitale stuk gemaakt. De voorstelling van de door tweedracht verstoorde bruiloft, die het begin betekende van de Trojaanse oorlog, zou bedacht kunnen zijn als een politieke allegorie.

1

Abraham Bloemaert
The Wedding of Peleus and Thetis

Because Amalia van Solms's four daughters were married off to German princes, the Netherlands lost a large part of the Stadholder's art collection. As an example of the kind of monumental paintings that used to decorate Frederik Hendrik's palaces, Abraham Bloemaert's *Wedding of Peleus and Thetis* has been hung here in the Mauritshuis as a chimney-breast piece. Possibly this very large canvas by the 75-year-old Bloemaert was among works commissioned by the court. The image of the wedding which is interrupted by discord and heralded the beginning of the Trojan war, may have been conceived as a political allegory.

1 Abraham Bloemaert *De bruiloft van Peleus en Thetis* 1638, schilderij op doek, 193,7 × 164,5 cm, inv.nr. 17
2 *De bruiloft van Peleus en Thetis* door Abraham Bloemaert als schoorsteenstuk

1 Abraham Bloemaert *The Wedding of Peleus and Thetis* 1638, oil on canvas, 193.7 × 164.5 cm, inv.no 17
2 *The Wedding of Peleus and Thetis* by Abraham Bloemaert, set in a mantel-piece

2

Gerard David
Een boslandschap met ezels en een os

Twee panelen met een geschilderd boslandschap met dieren bij een meertje vormden ooit de buitenzijde van een drieluik van Gerard David. Als de luiken werden geopend, zag men *De aanbidding van Christus* met op het middenpaneel Maria en Jozef geknield met de os en de ezel bij de kribbe en op de achtergrond de herders. Op de twee zijluiken lieten de opdrachtgevers, een onbekend echtpaar, zich afbeelden met hun beschermheiligen. Na 1920 zijn de binnen- en de buitenluiken van elkaar gescheiden en zo doen de boslandschappen zich nu voor als zelfstandige kunstwerken. David deelde met de miniatuurschilders weliswaar hun speciale belangstelling voor de natuur, maar dat hij die weergaf zonder een bijbels motief was toen (ca. 1505/10) een zeldzaamheid.

1

Gerard David
A forest landscape with donkeys and an ox

These two panels representing a forest landscape with animals by a pond were once the backs of the side panels of a triptych by Gerard David. If the panels were opened one would see *The Adoration of Christ*. The central panel showed Mary and Joseph kneeling down by the crib with the ox and the ass, attended by the shepherds in the background. The two side panels featured the donors – an unknown couple – with their patron saints. After 1920 the interior side panels were separated from their counterparts on the exterior, so that the forest landscapes now appear as individual works of art. David certainly shared this special interest in nature with miniature painters. But to depict such a scene without a biblical motif was unusual at the time (ca 1505/10).

1 Gerard David *Een boslandschap met ezels en een os* (ca. 1505/10), schilderijen op paneel, elk 90 × 30,5 cm, inv.nr. 843
2 Gerard David *De aanbidding van Christus* (ca. 1505/10), schilderij (drieluik) op paneel, New York, The Metropolitan Museum of Art

1 Gerard David *A forest landscape with donkeys and an ox* (ca 1505/10), oil on panel, each 90 × 30.5 cm, inv.no 843
2 Gerard David *The Adoration of Christ* (ca 1505/10), oil on panel (triptych), New York, The Metropolitan Museum of Art

2

Ambrosius Bosschaert
Een vaas met bloemen in een nis

Een mijlpaal in de geschiedenis van de botanie in Nederland was omstreeks 1600 de introductie van de *tulipan* uit Turkije. De tulp is sindsdien bijna niet meer weg te denken uit de boeketten van de schilders, waarin ze gecombineerd werd met bloemen uit alle seizoenen. Bosschaert toont ons de met het oog van een botanicus geobserveerde bloemen tegen een panorama met vage contouren. Het ontdekken van de wijde wereld begint hier derhalve met de bestudering van het nabije. Als symbolen van verre kusten liggen rechts naast de vaas schelpen uit de Indische Oceaan en de Philippijnen. Gaten in de bloemen maken duidelijk dat ook schoonheid vergankelijk is. De vieze vlieg betekent zelfs de dood. Een fraai boeket op een prent van Jan de Bry heeft dan ook als onderschrift: 'De bloem vergaat in de wind: zo is het leven'.

1 Ambrosius Bosschaert *Een vaas met bloemen in een nis* (ca. 1618), schilderij op paneel, 64 × 46 cm, inv.nr. 679
2 Jan Theodoor de Bry naar Jacob Kempener *Vaas met bloemen* 1604, gravure

1 Ambrosius Bosschaert *Vase with flowers in a niche* (ca 1618), oil on panel, 64 × 46 cm, inv.no 679
2 Jan Theodoor de Bry after Jacob Kempener *Vase with flowers* 1604, engraving

1

Ambrosius Bosschaert
Vase with flowers in a niche

The introduction, in about 1600, of the turkish *tulipan* was a landmark in the botanical history of the Netherlands. Since then tulips have been a regular part of painters' flower arrangements, in which they would be combined with flowers of all seasons. Bosschaert's bouquet is observed as if by a botanist and is depicted against a roughly outlined panorama. The discovery of wider horizons thus begins in this case with the things that are close at hand. Shells from the Indian Ocean and the Philippines lying to the right of the vase, symbolize far-away shores. Holes in the flowers' petals emphasize that even beauty is transient. The fly is in fact an allusion to death. One might compare this picture to a print by Jan de Bry which represents a bouquet of beautiful flowers; the caption underneath it reads: 'Flowers are blown down by the wind: such is our life'.

2

Pieter Pietersz
Portret van Cornelis Cornelisz Schellinger

'Wert in dit Jaer tot Delft doorschoten, T welck veel me(n)sche(n) heeft verdroten. An(no) 1584', rijmde de Amsterdammer Cornelis Schellinger bij zijn portret. Het opschrift verwijst naar de moord op Willem van Oranje in 1584, gepleegd toen de dichter drieëndertig jaar oud was: 'Aet.(atis) 33'. 'Obiit A° 75' (= hij stierf in zijn vijfenzeventigste jaar) werd na zijn dood in 1635 toegevoegd op last van zijn zoon Hilbrand Schellinger, die toen tevens zijn eigen wapenschild aan liet brengen, links boven. Cornelis Schellinger bedacht kennelijk zelf de tollen op de plint, waar het 'leven' is uitgedraaid. Dat de spreuk 'Elc syn tyt' hoorde bij het beeld van de stilliggende tollen, blijkt uit een illustratie in Roemer Visschers *Sinnepoppen*.

1 Pieter Pietersz *Portret van Cornelis Cornelisz Schellinger* 1584, schilderij op paneel, 68 × 51 cm, inv.nr. 4
2 Adriaen Thomasz Key *Portret van Willem van Oranje* (ca. 1580/84), schilderij op paneel, 48 × 34 cm, inv.nr. 225
3 Illustratie uit: Roemer Visscher, *Sinnepoppen* (1614)

1 Pieter Pietersz *Portrait of Cornelis Cornelisz Schellinger* 1584, oil on panel, 68 × 51 cm, inv.no 4
2 Adriaen Thomasz Key *Portrait of William of Orange* (ca 1580/84), oil on panel, 48 × 34 cm, inv. no 225
3 Illustration from: Roemer Visscher, *Sinnepoppen* (1614)

1

Pieter Pietersz
Portrait of Cornelis Cornelisz Schellinger

The lines of verse which Cornelis Schellinger added to his portrait can be roughly translated as: 'The year of the shooting at Delft, which grieved many people, An(no) 1584'. The caption refers to the murder of William of Orange which took place in 1584, when the poet was 33 years old: 'Aet.(atis) 33'. 'Obiit A° 75' (= he died at the age of 75). It was added posthumously in 1635 at the request of his son Hilbrand Schellinger, who at the same time had his coat of arms added, upper left. The tops on the inner frame, their energy now spent, were apparently the invention of Cornelis Schellinger himself. From an illustration in Roemer Visscher's emblem book *Sinnepoppen* we know that the motto 'Each in his time' would have been associated with the image of stationary tops.

3

2

Jacob de Gheyn II
Een glas met bloemen

De biograaf Carel van Mander vertelde dat Jacob de Gheyn in 1604 een bloemstuk aan keizer Rudolf II in Praag had verkocht dat alom bewondering had geoogst: 'waer in hy groot gedult en suyverheyt te weghe bracht'. 'En hoewel zijnen hooghsten lust was tot figueren (= historieschilderen)', vervolgde Van Mander, schilderde hij ook graag stillevens met bloemen. Die vonden gretig aftrek. Dit bloemstilleven is met zorg uitgevoerd op een stuk koper van ongewoon groot formaat, kennelijk op speciaal verzoek van de opdrachtgever. De uitgebreide signatuur verraadt de trots van de maker: bovenaan staat 'J G 12', waarmee in het jaartal 1612 tevens de initialen J(d)G van de schilder zijn verwerkt, onderaan staat nog eens 'Jacobvs de Gheyn fe(cit)' (= heeft het gemaakt).

1

Jacob de Gheyn II
Glass with flowers

In 1604, according to Carel van Mander, the biographer, Jacob de Gheyn sold a flower painting that had won him universal admiration to the Emperor Rudolf II in Prague, 'and (it) was carefully wrought and with the greatest precision'. 'And although figure-painting (i.e. history painting) was his greatest passion', Van Mander continued, he also enjoyed painting still-lifes with flowers. These were in great demand. This flower piece was meticulously painted on an unusually large copper plate, apparently at the commissioner's special request. The elaborate signature reveals the maker's pride. At the top can be read: 'J G 12'. The artist has thus worked his initials J(d)G into the date 1612. At the bottom it is repeated: 'Jacobvs de Gheyn fe(cit)' (i.e. made it).

1 Jacob de Gheyn II *Een glas met bloemen* 1612, schilderij op koper, 58 × 44 cm, inv.nr. 1077
2 Detail met monogram en datering
3 Detail met signatuur

1 Jacob de Gheyn II *Glass with flowers* 1612, oil on copper, 58 × 44 cm, inv.no 1077
2 Detail showing monogram and date
3 Detail showing the signature

2

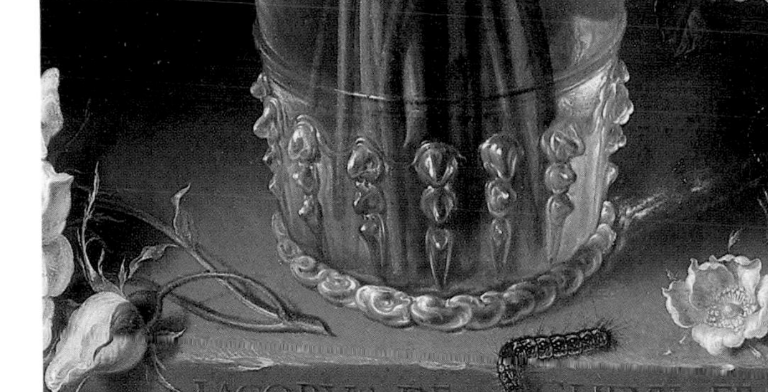

3

Jan Sanders van Hemessen
Allegorie op de harmonie in het huwelijk

De schilder uit Hemiksem (Hemessen, bij Antwerpen) was in Italië geweest en heeft er kennelijk werk gezien uit de Venetiaanse school. De poëtische sfeer van een *Concert champêtre* van Titiaan of Palma Vecchio imiteerde hij in de entourage van zijn allegorische voorstelling. Volgens een oude bron is hier de Harmonie uitgebeeld. Het snareninstrument kende men immers als het symbool van de Eendracht. De melk van de jonge vrouw bekrachtigt dit idee. De laurierbladeren op haar hoofd tonen aan dat bovendien harmonie binnen het huwelijk is bedoeld. Giorgiones *'Portret' van Laura* is immers ook een allegorische voorstelling van een jonge bruid, eerder dan een portret.

1 Jan Sanders van Hemessen *Allegorie op de harmonie in het huwelijk* (ca. 1550/55), schilderij op paneel, 159 × 189 cm, inv.nr. 1067
2 Palma Vecchio *Concert champêtre* (ca. 1510/20), schilderij op doek, gemonteerd op paneel, Ardencraig, collectie Lady Colum Crichton-Stuart
3 Giorgione *'Portret' van Laura* (1506), schilderij op doek, gemonteerd op paneel, Wenen, Kunsthistorisches Museum

1 Jan Sanders van Hemessen *Allegory on conjugal harmony* (ca 1550/55), oil on panel, 159 × 189 cm, inv.no 1067
2 Palma Vecchio *Concert champêtre* (ca 1510/20), oil on canvas, mounted on panel, Ardencraig, Lady Colum Crichton-Stuart Collection
3 Giorgione *'Portrait' of Laura* (1506), oil on canvas, mounted on panel, Vienna, Kunsthistorisches Museum

1

Jan Sanders van Hemessen
Allegory on conjugal harmony

The artist from Hemiksem (Hemessen, not far from Antwerp) had been to Italy and apparently had seen works by members of the Venetian school there. He borrowed the poetic atmosphere of Titian's or Palma Vecchio's *Concert champêtre* for the scenery of this allegorical image. According to an old source, this painting represents Harmony. The stringed instrument was, after all, known as the symbol of Concord. This notion is supported by the young woman's milk. The bay leaves on her head indicate, moreover, that the harmony intended here is of a kind associated with matrimony. There is a precedent in Giorgione's *'Portrait' of Laura*, which is also an allegorical image of a young bride rather than a conventional portrait.

2

3

Joachim Wtewael
Venus en Mars betrapt door Vulcanus

Mercurius trekt het gordijn weg van het bed waarop Venus met Mars de liefde bedrijft. Amor richt boos een pijl op de spelbreker. De bedrogen Vulcanus staat op het punt een bronzen net te gooien over Venus en haar minnaar. Goden en godinnen zien geamuseerd toe. Alleen Jupiter (met zijn bliksemschicht) was niet erg vrolijk omdat zijn schoonzoon Vulcanus de bruidschatten terugeiste. De directheid van Wtewaels voorstelling werd niet steeds voor openbare vertoning geschikt geacht. Uit een voorstudie is ooit het liefdespaar geknipt en in de biljartkamer op Het Loo hing het schilderij zelfs in een houten kastje met deurtjes.

1 Joachim Wtewael *Venus en Mars betrapt door Vulcanus* 1601, schilderij op koper, 21 × 15,5 cm, inv.nr. 223
2 Joachim Wtewael *Venus en Mars betrapt door Vulcanus* (ca. 1601), tekening, Florence, Galleria degli Uffizi
3 Detail met Mars en Venus

1 Joachim Wtewael *Venus and Mars surprised by Vulcan* 1601, oil on copper, 21 × 15.5 cm, inv.no 223
2 Joachim Wtewael *Venus and Mars surprised by Vulcan* (ca 1601), drawing, Florence, Galleria degli Uffizi
3 Detail showing Mars and Venus

1

Joachim Wtewael
Venus and Mars surprised by Vulcan

Mercury pulls back the curtain hanging in front of the bed on which Venus and Mars are making love. In a fit of anger Amor aims his bow at the 'killjoy'. The deceived Vulcan is on the point of throwing a bronze net over Venus and her lover. Gods and goddesses are watching in amusement. Only Jupiter (with his thunderbolt) was rather displeased because his son-in-law, Vulcan, demanded the return of his dowry. The bold directness of Wtewael's image has not always been deemed suitable for public display. At one stage the lovers were cut out of a preparatory study and in the billiard room at Het Loo Palace the painting was kept in a wooden cabinet.

2

3

Pieter Pourbus
Portret van een jonge geestelijke

De platte baret en het zwarte habijt doen vermoeden dat de jongeman met het prille snorretje een geestelijke is. Het boek, dat hij even heeft dichtgeslagen, lijkt hij ondersteboven vast te houden. Dit is echter een oosters geschrift, dat men van achteren naar voren en van rechts naar links leest. Kennelijk is de geleerde het Hebreeuws machtig. Zo'n boek komt ook voor op het portret van de abt van de abdij van Oudenburg, Jaspar de Bovincourt. Het *Portret van een jonge geestelijke* wordt op goede gronden aan Pieter Pourbus toegeschreven en omstreeks 1555 gedateerd: de schilder uit Gouda zou in de jaren daarna de favoriete portrettist van de Brugse burgerij worden.

1

Pieter Pourbus
Portrait of a young clergyman

The flat biretta and black habit suggest that the young man with his youthful moustache is a clergyman. He seems to be holding the book, which he has momentarily closed, upside down. It is, however, an oriental text which would be read from back to front and from right to left. Apparently the scholar has a thorough command of Hebrew. A similar book is to be found in the portrait of Jaspar de Bovincourt, the abbot of Oudenburg Abbey. There are good grounds for attributing the *Portrait of a young clergyman* to Pieter Pourbus and for dating it around 1555: in the years following, this painter from Gouda was to become a favourite portraitist among the citizens of Bruges.

1 Pieter Pourbus *Portret van een jonge geestelijke* (ca. 1555), schilderij op paneel, 42 × 31 cm, inv.nr. 881
2 Pieter Pourbus *Portret van Jaspar de Bovincourt* 1569, schilderij op paneel, verblijfplaats onbekend

1 Pieter Pourbus *Portrait of a young clergyman* (ca 1555), oil on panel, 42 × 31 cm, inv.no 881
2 Pieter Pourbus *Portrait of Jaspar de Bovincourt* 1569, oil on panel, present whereabouts unknown

2

Cornelis Troost
Allegorie op de oorlog met Frankrijk in 1747

De rol die Troost op het kunsttoneel heeft gespeeld, is wellicht het best te omschrijven met de eretitel 'Rembrandt van de pruikentijd'. In dit tafereel laat hij de zeventiende-eeuwse 'cortegaarde' (van 'corps de garde', wachtlokaal) herleven. De lezende figuur aan het raam is zelfs een letterlijk citaat uit Rembrandts beroemde ets *Jan Six aan het venster*, die precies honderd jaar eerder is ontstaan. Details van de voorstelling verwijzen echter naar de actualiteit, de oorlog met Frankrijk in 1747. Boven de haard is een medaillon met Willem IV te zien boven zijn spreuk *Je maintiendrai* en onder het beeld van de oorlogsgod Mars.

1 Cornelis Troost *Allegorie op de oorlog met Frankrijk in 1747* 1747, schilderij op doek, 82 × 102 cm, inv.nr. 1034
2 Rembrandt *Jan Six aan het venster* 1647, ets
3 Detail met de brieflezer aan het venster

1 Cornelis Troost *Allegory of the war with France in 1747* 1747, oil on canvas, 82 × 102 cm, inv.no 1034
2 Rembrandt *Jan Six at the window* 1647, etching
3 Detail showing the letter reader at the window

1

Cornelis Troost
Allegory of the war with France in 1747

Troost's role in Dutch art can perhaps best be described with the honorific title 'Rembrandt of the Regency period'. In this scene he revives the 17th-century 'cortegaarde' (from 'corps de garde', guardroom). The figure reading by the window is in fact directly lifted from Rembrandt's well-known etching *Jan Six at the window*, which was executed precisely 100 years earlier. Within the image, however, there are details which refer to the current state of affairs: the war with France in 1747. Over the mantel-piece there is a portrait medallion of Willem IV with his motto underneath it, *Je maintiendrai*. Above the medallion is a statue of Mars, the god of war.

2

3

Cornelis Troost
NELRI-serie

Om zijn satirische thema's is Troost wel de 'Nederlandse Hogarth' genoemd. De Engelse kunstenaar William Hogarth is beroemd om zijn maatschappijkritische thema's. Deze faam verwierf Troost zich vooral door de reeks van vijf pastels, bekend als de *NELRI-serie*. Ze beelden vijf stadia uit van een drinkgelag, onder quasi deftige Latijnse titels die vermeld staan op de originele lijsten. De beginletters van deze titels vormen de naam van de reeks. *Nemo loquebatur* verbeeldt het rustige begin van het samenzijn. *Erat sermo inter fratres* laat het vervolg zien, waarbij de voorouderportretten worden bespot. *Loquebantur omnes* toont hoe de heren in verhitte discussie zijn, waarbij er één een dienstbode om het middel vat. *Rumor erat in casa* brengt in beeld hoe de wijnglazen door de lucht vliegen. *Ibant qui poterant...* is het slottafereel met de zwaar beschonken vrienden, die elkaar op de mond kussen, moeten braken en weggevoerd worden met een koets.

1a

Cornelis Troost
NELRI-series

On account of his satirical themes Troost has occasionally been labelled the 'Dutch Hogarth'. The English artist William Hogarth is famous for his themes which are often loaded with social criticism. Troost acquired his reputation largely from the set of five pastels, known as the *NELRI-series*. These pictures depict the five stages of a drinking-bout and are known by the bombastic titles inscribed (in Latin) on the original frames. Together the initial letters of these titles form the name NELRI, by which the whole set is known. *Nemo loquebatur* represents the quiet beginning of the gathering. *Erat sermo inter fratres* shows the next episode, in which the ancestral portraits are ridiculed. *Loquebantur omnes* shows how the gentlemen have fallen into heated discussion and one of them grabs the housemaid around the waist. In *Rumor erat in casa* glasses are flying through the air. *Ibant qui poterant...* is the final episode, in which the drunken friends part, some kissing each other on the mouth while others are vomiting, before leaving in their carriages.

1 Cornelis Troost *NELRI-serie* 1740, vijf pastels op papier, elk 56,5 × 72,5 cm, inv.nr. 186-190
a Nemo loquebatur (niemand sprak er)
b Erat sermo inter fratres (de vrienden raakten in gesprek)

1 Cornelis Troost *NELRI-series* 1740, five pastels on paper, each 56.5 × 72.5 cm, inv.no 186-190
a Nemo loquebatur (No one was speaking)
b Erat sermo inter fratres (The brothers were having a conversation)

1b

c Loquebantur omnes (iedereen voerde het woord)
d Rumor erat in casa (het werd rumoerig in huis)
e Ibant qui poterant, qui non potuere cadebant (wie nog kon lopen, ging heen; wie dat niet meer kon, viel om)

c Loquebantur omnes (Everyone was talking)
d Rumor erat in casa (The house had become rowdy)
e Ibant qui poterant, qui non potuere cadebant (Those who were still capable went home, those who were beyond it fell about the place)

1c

1d

1e

Giovanni Antonio Pellegrini
Allegorieën

Na de brand in 1704 werd het herstel van het interieur van het Mauritshuis een jarenlang slepende zaak. Meestermetselaar Gijsbert Blotelingh voerde de werken uit. Voor de Gouden Zaal ontwierp hij onder andere schoorstenen, die grotendeels ontleend waren aan voorbeeldenboeken van de Franse ontwerper Jean Bérain. Toevallig was in 1718 de Venetiaanse schilder Giovanni Antonio Pellegrini in Den Haag. Hij voerde de wand- en plafondschilderingen uit: voor het plafond voorstellingen van de zon (Apollo), de dageraad (Aurora) en de nacht, die vleermuizen en uilen uitzendt. In de wandnissen beelden geschilderde sculpturen de vier elementen uit: de aarde (met de vruchten), de lucht (met de vogel), het vuur (met de vuurpot) en het water (met de staf waarmee Mozes water uit de rots sloeg).

1 Giovanni Antonio Pellegrini *De zon* (a), *De dageraad* (b) en *De nacht* (c) (1718), schilderijen op doek, elk 188 × 260 cm, inv.nr. 834a

1 Giovanni Antonio Pellegrini *Sun* (a), *Dawn* (b) and *Night* (c) (1718), oil on canvas, each 188 × 260 cm, inv.no 834a

1a

Giovanni Antonio Pellegrini
Allegories

After the fire of 1704 the interior of the Mauritshuis was restored in stages, over an extended period of time. Gijsbert Blotelingh, the master mason, was in charge of the restoration. For the Golden Room he designed, among other things, the mantel-pieces, the designs of which were largely based on sample books by the French architect Jean Bérain. In 1718 the Venetian painter Giovanni Antonio Pellegrini was in The Hague. He was commissioned to execute the murals and the ceiling paintings. Decorating the ceiling are images of the sun (Apollo), dawn (Aurora) and night, setting loose bats and owls. The statues painted on the walls represent the four elements: earth (and its fruits), air (with a bird), fire (with a jug of fire) and water (with the rod Moses used to strike water from the rock).

1b

1c

2 Giovanni Antonio Pellegrini *De aarde* (a), *De lucht* (b), *Het vuur* (c) en *Het water* (d) (1718), schilderijen op doek, elk 256 × 108 cm, inv.nr. 834a

2 Giovanni Antonio Pellegrini *Earth* (a), *Air* (b), *Fire* (c) and *Water* (d) (1718), oil on canvas, each 256 × 108 cm, inv.nr 834a

2a

2b

2c

2d

Hans Holbein de Jonge
Portret van Robert Cheseman

Op het eind van de zeventiende eeuw bracht koning-stadhouder Willem III onder meer twee valkeniersportretten uit de Engelse koninklijke collecties over naar paleis Het Loo. 'Robertvs Cheseman' was ooit grootvalkenier van Hendrik VIII geweest. Hij was 48 jaar oud toen hij werd geportretteerd door Hans Holbein in 1533: diens aanstelling tot hofschilder lag toen in het verschiet. Cheseman is naar de mode van zijn dagen gekleed en gekapt. In mei 1535 verordonneerde Hendrik VIII dat oudere mannen aan het hof hun baard moesten laten staan en hun haar kort moesten dragen. Zó vertoont zich dan ook een 28-jarige valkenier wiens portret Holbein in 1542 schilderde.

1 Hans Holbein *Portret van Robert Cheseman* 1533, schilderij op paneel, 59 × 62,5 cm, inv.nr. 276
2 Hans Holbein *Portret van een onbekende valkenier* 1542, schilderij op paneel, 25 × 19 cm, inv.nr. 277

1 Hans Holbein *Portrait of Robert Cheseman* 1533, oil on panel, 59 × 62.5 cm, inv.no 276
2 Hans Holbein *Portrait of an unknown falconer* 1542, oil on panel, 25 × 19 cm, inv.no 277

1

Hans Holbein the Younger
Portrait of Robert Cheseman

This picture is one of the two portraits of a falconer, formerly belonging to the English royal collection, which King-Stadholder Willem III brought over to Het Loo Palace at the end of the 17th century. 'Robertvs Cheseman' was once the grand falconer of Henry VIII. He was 48 years old in 1533 when Hans Holbein painted his portrait: shortly after this Holbein was appointed court painter. Cheseman is dressed in the fashion of the day and his hair is stylish for the time too. In May 1535 Henry VIII decreed that all the mature men in his court should grow their beards and have their hair cut short. This is exemplified by the appearance of the other falconer (28 years of age) whose portrait Holbein painted in 1542.

2

Lucas Cranach de Oude
Maria en kind met druiventros

'Ik ben de ware wijnstok', zegt Jezus in een bekende bijbelpassage (Johannes 15, 1-5). In uitbeeldingen van Christus en zijn moeder werd eeuwenlang de druiventros als symbool gebruikt. Het door engeltjes opgehouden kleed als een baldakijn ter beschutting van moeder en kind kende eveneens een lange traditie, zoals een paneel van Jan van Eyck uit 1439 aantoont. Het omringende fantastische landschap was een stokpaardje van Cranach zelf, dat werd overgenomen door de schilders van de zogenaamde Donau-school.

1

Lucas Cranach the Elder
The Virgin Mary and child with a bunch of grapes

'I am the real vine' Jesus declares in a well-known passage from the Bible (John 15, 1-5). For many centuries the grapevine appeared as a symbol in representations of Christ and the Virgin. The tapestry which the cherubs are holding up as a canopy to protect mother and child is also of historical significance, as can be seen from a panel of 1439 by Jan van Eyck. The fantastic scenery surrounding mother and child was a hobbyhorse of Cranach himself and was adopted by painters of the so-called Danube School.

1 Lucas Cranach de Oude *Maria en kind met druiventros* (ca. 1520), 62,7 × 42 cm, schilderij op paneel, inv.nr. 917
2 Jan van Eyck *De Madonna aan de fontein* 1439, schilderij op paneel, Antwerpen, Koninklijk Museum voor Schone Kunsten

1 Lucas Cranach the Elder *The Virgin Mary and child with a bunch of grapes* (ca 1520), 62.7 × 42 cm, oil on panel, inv.no 917
2 Jan van Eyck *The Virgin by the fountain* 1439, oil on panel, Antwerp, Musée Royal des Beaux-Arts

2

Peter Paul Rubens
'Modello' voor De hemelvaart van Maria

In 1619 contracteerde deken Johannes del Rio Peter Paul Rubens voor het maken van een schildering voor het hoogaltaar in de Antwerpse kathedraal. De schilder maakte voor Del Rio een olieverfschets ('modello') ter voorbereiding van het altaarstuk, dat paste in een veertien meter hoog portiekaltaar van de beeldhouwers De Nole. In 1626 heerste de pest in Antwerpen. Rubens bleef toch in de stad om zelf de uitvoering van *De hemelvaart van Maria* ter hand te nemen. Op 20 juni overleed zijn vrouw Isabella Brant aan de gevreesde ziekte. Ter nagedachtenis gaf hij in het altaarstuk de vrouw achter het graf de gelaatstrekken van zijn geliefde Isabella.

1 Peter Paul Rubens *'Modello' voor De hemelvaart van Maria* (ca. 1620/24), schilderij op paneel, 90 × 61 cm, inv.nr. 926
2 Adriaan Lommelin, *Het hoogaltaar in de kathedraal van Antwerpen* (ca. 1650), gravure
3 Peter Paul Rubens *De hemelvaart van Maria* (1626-27), schilderij op doek, Antwerpen, Onze-Lieve-Vrouwekerk

1 Peter Paul Rubens *'Modello' for The Assumption of the Virgin* (ca 1620/24), oil on panel, 90 × 61 cm, inv.no. 926
2 Adriaan Lommelin *The high altar in Antwerp Cathedral* (ca 1650), engraving
3 Peter Paul Rubens *The Assumption of the Virgin* (1626-27), oil on canvas, Antwerp, Cathedral

1

Peter Paul Rubens
'Modello' for The Assumption of the Virgin

In 1619 the Dean Johannes del Rio commissioned Peter Paul Rubens to design a painting for the high altar in Antwerp Cathedral. As a preparation for the altarpiece, which was to be fitted into a portico 14 metres in height sculpted by the De Noles, the artist painted this oil sketch as a modello for Del Rio. In 1626 the plague struck Antwerp; yet Rubens stayed on to continue painting *The Assumption of the Virgin* himself. On 20 June his wife Isabella Brant died from the dreaded disease. In her memory he painted the woman standing behind the grave in the altarpiece with the features of his beloved Isabella.

2

3

Adriaen Brouwer
De roker, ofwel de Reuk

Het 'toback drincken' was een uit de Nieuwe Wereld geïmporteerde bezigheid, waaraan men aanvankelijk een heilzame werking toeschreef. Adriaen Brouwer schilderde graag de vreemde grimassen die mensen maakten bij het gebruik van tabak. Maar toen dit naast drank als genotmiddel populair werd, rezen de waarschuwende vingers tegen het verderfelijke spul. Rook werd symbool voor de vergankelijkheid. Daarom peinst een man met een pijpje volgens het onderschrift bij een prent van Hendrick Bary: 'Terwijl ik yvrig rook Verinis, kleijn gesneen, Denk ik vast bij mij self; soo vliegt de weerelt heen'. De man die zijn broek ophijst, heeft juist zijn behoefte gedaan. Daarom kan de rook ook om de stank zijn weergegeven, waarmee Brouwer mogelijk de Reuk als een van de vijf zintuigen heeft uitgebeeld.

1

Adriaen Brouwer
The smoker, or Smell from the Senses

The 'drinking' of tobacco was a pastime imported from the New World and initially thought to have a beneficial effect. Adriaen Brouwer enjoyed painting the distorted faces of people who were smoking tobacco. But when it became popular as a stimulant, alongside drink, notes of warning were sounded against the possible dangers of the substance. Smoke became a symbol of the brevity of life. This accounts for the caption on a print by Hendrick Bary representing a man with his pipe. He muses: 'As I avidly smoke my pipe of shredded Veriny, I never cease to think to myself: this is how the world flees by'. The man pulling up his trousers has just relieved himself. The smoke could therefore visibly represent a foul smell, in which case Brouwer's *Smell* might have been one of a series of paintings showing the five senses.

1 Adriaen Brouwer *De roker, ofwel de Reuk* (ca. 1636/37), schilderij op paneel, 29,4 × 21,3 cm, inv.nr. 962
2 Hendrick Bary *De roker* (ca. 1660/70), gravure

1 Adriaen Brouwer *The smoker, or Smell from the Senses* (ca 1636/37), oil on panel, 29.4 × 21.3 cm, inv.no 962
2 Hendrick Bary *The smoker* (ca 1660/70), engraving

2

Abraham Govaerts
Boslandschap met zigeunerinnen

Ongesigneerde landschappen van Abraham Govaerts werden wel aan Jan Brueghel toegeschreven. Hier is zijn signatuur 'A Govaerts .1.6.12.' duidelijk leesbaar. Rechts houdt een groepje zigeunervrouwen met kinderen in kleurige kledingstukken een jager aan. Een van hen leest hem de hand, terwijl zijn kameraad een waarschuwend gebaar maakt. Een koopman met een mand vol kippen op zijn rug kijkt geamuseerd toe. Links zit een eenzame ekster op een boomstronk als een donker silhouet tegen het lichte verschiet. In een boom bengelen de benen van een lijk.

1 Abraham Govaerts *Boslandschap met zigeunerinnen* 1612, schilderij op paneel, 62,5 × 101 cm, inv.nr. 45
2 Detail met een lijk in een boom
3 Detail met zigeunervrouwen

1 Abraham Govaerts *Forest landscape with gypsies* 1612, oil on panel, 62.5 × 101 cm, inv.no 45
2 Detail showing a corpse in a tree
3 Detail showing gypsy women

1

Abraham Govaerts
Forest landscape with gypsies

Unsigned landscapes by Abraham Govaerts have sometimes been attributed to Jan Brueghel. In this case his signature 'A Govaerts .1.6.12.' is clearly legible. To the right a group of gypsy women with children in colourful dress are detaining a huntsman. One of them is reading his palm for him while his companion makes a warning gesture. A merchant carrying a basket on his back, loaded with chickens, watches them in amusement. At the extreme left the silhouette of a lonely magpie on a tree-stump stands out as a shadow against the light in the distance. The legs of a corpse can be seen dangling from a tree.

2

3

Anthonie van Dyck
Portret van Anna Wake

Vrijwel direct na zijn terugkeer uit Genua kreeg Van Dyck in 1627 het portret te schilderen van de rijke Antwerpse lakenkoopman Peeter Stevens, die later stadsaalmoezenier werd en een belangrijk kunstverzamelaar was. Op 12 maart 1628 trouwde hij met Anna Wake, de oudste dochter van een goede vriend van Peter Paul Rubens. Peeters portret kreeg toen een pendant waarin Anna aan de rechterzijde van haar echtgenoot werd afgebeeld. Dat was ongebruikelijk omdat volgens heraldische regels deze ereplaats aan de man toekwam. Nood brak hier echter wetten.

1 Anthonie van Dyck *Portret van Anna Wake* 1627, schilderij op doek, 112,5 × 99,5 cm, inv.nr. 240
2 Anthonie van Dyck *Portret van Peeter Stevens* 1626, schilderij op doek, 112,5 × 99,5 cm, inv.nr. 239

1 Anthony van Dyck *Portrait of Anna Wake* 1627, oil on canvas, 112.5 × 99.5 cm, inv.no 240
2 Anthony van Dyck *Portrait of Peeter Stevens* 1626, oil on canvas, 112.5 × 99.5 cm, inv.no 239

1

Anthony van Dyck
Portrait of Anna Wake

In 1627, almost immediately after his return from Genoa, Van Dyck was commissioned to paint the portrait of the wealthy Antwerp cloth merchant Peeter Stevens, who was later to become the city almoner and was an important art collector. On 12 March 1628 he married Anna Wake, whose father was a close friend of Peter Paul Rubens. The portrait of Peeter was subsequently complemented with a companion portrait of Anna, painted to be hung on her husband's right. This was unusual as the rules of heraldry required that the man take the place of honour. In the circumstances, however, it is not surprising that the convention was overlooked.

Willem van Haecht
Apelles schildert Campaspe

Willem van Haecht was omstreeks 1627 conservator geworden van het fameuze kunstkabinet van Cornelis van der Geest in Antwerpen. In de voorstelling van dit gedroomde museum hangen schilderijen uit de collectie van zijn broodheer. Toch wordt ook een verhaal uit de oudheid verteld met als thema de verheerlijking van de schone kunsten. Apelles moest Campaspe, de bijzit van Alexander de Grote, schilderen en werd toen hopeloos verliefd. Alexander toonde zijn hoge achting voor de kunst door Campaspe aan zijn hofschilder als vrouw te geven. De weergegeven schilderijen, maar ook de beeldhouwwerken en prenten zijn veelal nog te identificeren met topstukken uit allerlei musea. De achterste ruimte heeft veel weg van het 'mouseion' bij het woonhuis van Rubens in Antwerpen, het eerste bouwwerk in het noorden dat speciaal werd ontworpen voor het tentoonstellen van kunst.

1 Willem van Haecht *Apelles schildert Campaspe* (ca. 1628/30), schilderij op paneel, 105 × 149,5 cm, inv.nr. 266
2 Detail met het 'mouseion' van Rubens
3 Detail met *Alexander en de schoenmaker(?)* van Barent van Orley, nu in het Museum der bildenden Künste in Leipzig
4 Detail met *De amazonenslag* van Rubens, nu in de Alte Pinakothek in München

1 Willem van Haecht *Apelles painting Campaspe* (ca 1628/30), oil on panel, 105 × 149.5 cm, inv.no 266
2 Detail showing Rubens's 'mouseion'
3 Detail showing *Alexander and the cobbler(?)* by Barent van Orley, now in the Museum der bildenden Künste in Leipzig
4 Detail showing *The battle of the Amazons* by Rubens, now in the Alte Pinakothek in Munich

1

Willem van Haecht
Apelles painting Campaspe

In about 1627 Willem van Haecht became keeper of Cornelis van der Geest's famous art collection in Antwerp. Some of the works displayed on the walls of this imaginary museum are from his patron's collection. Yet the painting also tells a story from antiquity about the glorification of the fine arts. Apelles was engaged to paint Campaspe, Alexander the Great's concubine, and while doing so he fell madly in love with her. As a mark of his great appreciation of the arts, Alexander made him a present of her. In quite a few cases the pictures represented here, as well as statues and prints, can still be identified with masterpieces surviving in the collections of various museums. The room in the background resembles the 'mouseion' which formed part of Rubens's house in Antwerp. This was the first building in the North specially designed for the display of works of art.

2

3

4

Jacob Jordaens
De aanbidding van de herders

Kunstenaars en schrijvers hebben uitgebreid over het kerstverhaal gefantaseerd, wellicht juist omdat de bijbel zo karig is met gegevens. Zo werd men het er over eens dat er drie herders moesten zijn geweest, omdat er ook drie koningen waren, en twee herderinnen – Alison en Mahaut geheten – die met eieren en melk kwamen. In een *Aanbidding van de herders* uit 1616 schilderde Jordaens voor het eerst een krachtige lichtbron, zoals hij die in Italië had gezien op schilderijen van Caravaggio. De melkkan, de drie herders en de twee herderinnen werden na 1617 (dus nog niet in het Haagse tafereel) vaste ingrediënten, die ook voorkwamen in enkele varianten uit die tijd en veertig jaar later zelfs nog in een (getekende en geschilderde) versie met levensgrote figuren. Net als bij het volkstoneel hechtte men aan dergelijke herkenbare personages.

1 Jacob Jordaens *De aanbidding van de herders* (ca. 1617), schilderij op paneel, 125,5 × 96 cm, inv.nr. 937
2 Jacob Jordaens *De aanbidding van de herders* 1616, schilderij op doek
New York, The Metropolitan Museum of Art
3 Jacob Jordaens *De aanbidding van de herders* (ca. 1657), tekening, Londen, British Museum

1 Jacob Jordaens *The Adoration of the shepherds* (ca 1617), oil on panel, 125.5 × 96 cm, inv.no 937
2 Jacob Jordaens *The Adoration of the shepherds* 1616, oil on canvas
New York, The Metropolitan Museum of Art
3 Jacob Jordaens *The Adoration of the shepherds* (ca 1657), drawing, London, British Museum

1

Jacob Jordaens
The Adoration of the shepherds

Painters as well as writers have used their imagination fairly freely when dealing with the Christmas story, perhaps because the Bible offers very little detail. It was in this way that it became established that, as there had been three kings, there had also, presumably, been three shepherds, as well as two shepherdesses – called Alison and Mahaut – who had brought eggs and milk. It was in an *Adoration of the shepherds* of 1616 that Jordaens first painted a powerful light source, a device he borrowed from the pictures by Caravaggio which he had seen in Italy. After 1617 (therefore later than this painting) the milk jug, the three shepherds and the two shepherdesses became standard elements. They also appeared in several other versions of the period and as much as forty years later in a version with life-size figures which exists in a drawing and a painting. As with popular drama, people liked to be able to recognize certain types.

2

3

Peter Paul Rubens
Portret van Michael Ophovius

Gekleed in een dominicaner pij maakt Michael Ophovius (1570-1637) een sprekend gebaar. Rubens heeft omstreeks 1618 gestalte weten te geven aan zijn indrukwekkende persoonlijkheid. Als prior van de Antwerpse dominicanen was hij de biechtvader van de schilder. Rubens gaf Sint Dominicus in het schilderij *Maria met kind en heiligen* omstreeks 1618 de gelaatstrekken van Ophovius. In 1626 werd hij op voordracht van landvoogdes Isabella bisschop van Den Bosch, waar hij geboren was. Zijn voorspelling dat Frederik Hendrik met het Staatse leger van plan was het beleg voor de stad te slaan, kwam uit. Op 14 september 1629 was hij een van de ondertekenaren van het capitulatieverdrag: in ballingschap bleef hij zich bisschop van Den Bosch noemen.

1 Peter Paul Rubens *Portret van Michael Ophovius* (ca. 1618), schilderij op doek, 111,5 × 82,5 cm, inv.nr. 252
2 Detail van afb. 3 met Sint Dominicus
3 Peter Paul Rubens *Maria met kind en heiligen* (ca. 1618), schilderij op doek, gemonteerd op hout, Kassel, Gemäldegalerie

1 Peter Paul Rubens *Portrait of Michael Ophovius* (ca 1618), oil on canvas, 111.5 × 82.5 cm, inv.no 252
2 Detail of ill. 3 with St Dominic
3 Peter Paul Rubens *The Virgin Mary with child and saints* (ca 1618), oil on canvas, mounted on wood, Kassel, Gemäldegalerie

1

Peter Paul Rubens
Portrait of Michael Ophovius

Dressed in the habit of a Dominican friar, Michael Ophovius (1570-1637) is making an expressive gesture. Rubens's portrayal of this man's impressive personality dates from about 1618. As a prior of the Antwerp Dominican community he was the artist's confessor. In 1618, or thereabouts, in his painting *The Virgin Mary with child and saints*, Rubens rendered St Dominic with the features of Ophovius. In 1626 Ophovius became Bishop of his native city Den Bosch on the recommendation of Isabella, ruler of the Netherlands. His prophesy that Frederik Hendrik with the Dutch army would lay siege to the city was fulfilled. On 14 September 1629 Ophovius was one of the signatories of the treaty of surrender. While in exile he continued calling himself Bishop of Den Bosch.

2

3

Peter Paul Rubens en Jan Brueghel de Oude
Het aardse paradijs met de zondeval van Adam en Eva

Verborgen onder de lijst van het schilderij staat de mededeling 'Petri Pavli Rvbens figr' en 'I Breughel fec'. Rubens maakte dus de figuren van Adam en Eva in dit door Jan Brueghel geschilderde paradijs dat zich voordoet als een idyllische dierentuin. Zo'n samenwerking tussen twee specialisten was toen heel gewoon. In de menagerie van aartshertog Albert en infante Isabella schilderde Jan Brueghel studies van dieren. Uit zo'n olieverfschets nam hij de kat bij Eva's voet over en het aapje dat een appel eet, links onder. Dit detail verwijst natuurlijk naar Adams misstap. De meeste dieren zou men hier een symbolische rol kunnen toedichten: kat en aap zijn vanouds broeders in het kwaad en ze beelden dan ook de zondige mens uit.

1 Peter Paul Rubens en Jan Brueghel de Oude *Het aardse paradijs met de zondeval van Adam en Eva* (ca. 1615), schilderij op paneel, 74 × 114 cm, inv.nr. 253
2 Details van afb. 3 met voorstudies voor de aap en de kat in *Het aardse paradijs*
3 Jan Brueghel de Oude *Studie van ezels, apen en katten* (ca. 1615), schilderij op paneel, Wenen, Kunsthistorisches Museum

1 Peter Paul Rubens and Jan Brueghel the Elder *Earthly paradise with the Fall of Adam and Eve* (ca 1615), oil on panel, 74 × 114 cm, inv.no 253
2 Details of ill. 3 showing preparatory studies for the ape and the cat in *Earthly paradise with the Fall of Adam and Eve*
3 Jan Brueghel the Elder *Study of donkeys, apes and cats* (ca 1615), oil on panel, Vienna, Kunsthistorisches Museum

1

Peter Paul Rubens and Jan Brueghel the Elder
Earthly paradise with the Fall of Adam and Eve

The painting bears the inscription, concealed by the frame, 'Petri Pavli Rvbens figr' and 'I Brevghel fec'. Thus Rubens was responsible for the figures of Adam and Eve in a paradise painted by Jan Brueghel, which has something of the appearance of an idyllic game reserve. This type of collaboration between two artists, each with his own speciality, would not have been extraordinary at the time. Jan Brueghel used to paint studies of animals in the menagerie of the Archduke Albert and the Infanta Isabella. From one of these oil sketches he copied the cat standing by Eve's feet and the little ape munching an apple, to the left in the foreground. This detail refers, of course, to Adam's act of folly. Most of the animals in this picture could be interpreted as having some symbolic role.

2

3

Gerard ter Borch
De luizenjacht

Omstreeks 1653, toen Gerard ter Borch na veel omzwervingen enige tijd in Zwolle verbleef, poseerde zijn stiefmoeder Wiesken Matthys met een jongen voor het schilderij *De luizenjacht*. Het is geen portret, maar het beeld van oerhollandse huiselijkheid, dat zelfs herinnert aan de Spreuken van Salomo (31: 10-31), waarin 'De lof der degelijke huisvrouw' wordt gezongen. Orde en netheid zijn de kenmerken van deze vrouw en de kam is een van haar attributen: 'Purgat et ornat' (hij reinigt en siert) is de diepere gedachte achter de luizenkam in Roemer Visschers *Sinnepoppen* uit 1614.

1 Gerard ter Borch *De luizenjacht* (ca. 1652/53), schilderij op paneel, 33,5 × 29 cm, inv. nr. 744
2 Illustratie uit: Roemer Visscher, *Sinnepoppen* (1614)
3 Detail

1 Gerard ter Borch *The louse hunt* (ca 1652/53), oil on panel, 33.5 × 29 cm, inv.no 744
2 Illustration from: Roemer Visscher, *Sinnepoppen* (1614)
3 Detail

1

Gerard ter Borch
The louse hunt

In about 1653, while Gerard ter Borch was temporarily based in Zwolle, after a period in which his life was unsettled, his stepmother Wiesken Matthys and the boy sat for him for *The louse hunt*. It is not a portrait but a typical image of Dutch domesticity which recalls, in fact, the Book of Proverbs (31: 10-31), in which 'the respectable housewife's praises' are sung. Order and cleanliness constitute the two characteristics of this woman and the comb is one of her attributes: 'Purgat et ornat' (it both cleanses and adorns) is the deeper meaning underlying the louse comb in Roemer Visscher's emblem book *Sinnepoppen* of 1614.

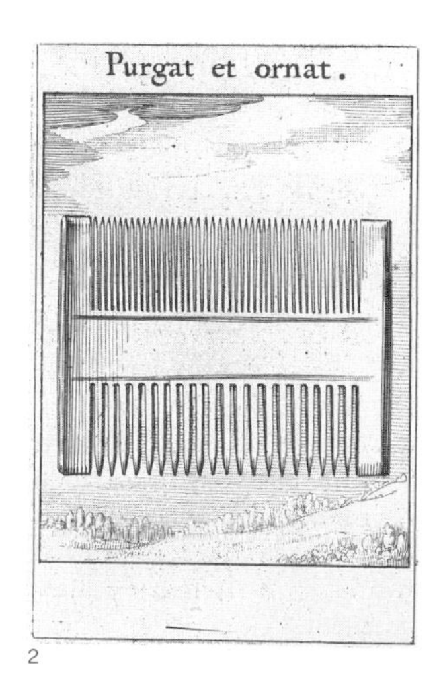

2

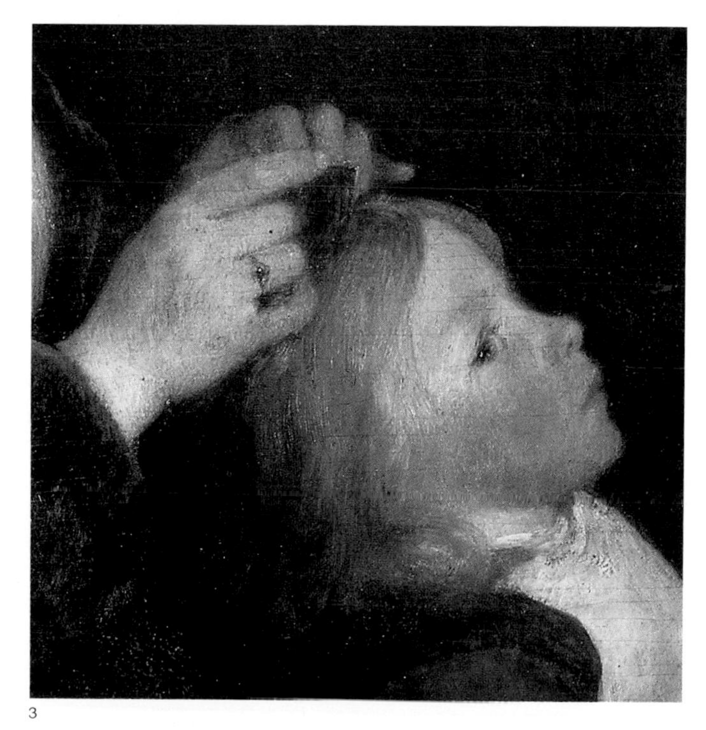

3

Pieter van Anraadt
Stilleven met stenen kruik en pijpen

Bezoekers van het Mauritshuis denken wel eens dat Vermeer dit stilleven schilderde. De picturale kwaliteiten zijn opvallender dan de signatuur 'Pieter van / Anraadt' links onder. Deze schilder is bij weinigen bekend en dan nog als een middelmatige portrettist. Toch maakte hij eenmaal dit onbetwiste meesterwerk, waarbij hij de compositie ontleende aan werken van Jan Jansz Treck en Jan Jansz van de Velde. Er zijn wellicht vier elementen door Van Anraadt uitgebeeld: het vuur (in de vuurtest), de lucht (die door pijp en tabak wordt gezogen), de aarde (de kruik van aardewerk) en het water (de grondstof voor bier).

1 Pieter van Anraadt *Stilleven met stenen kruik en pijpen* 1658, schilderij op doek, 67 × 59 cm, inv.nr. 1045
2 Jan Jansz Treck *Stilleven met stenen kruik en pijpen* 1647, schilderij op paneel, Amsterdam, Rijksmuseum
3 Jan Jansz van de Velde *Stilleven met roemer, bierglas en pijp* 1658, schilderij op paneel, Amsterdam, Rijksmuseum

1 Pieter van Anraadt *Still-life with a stoneware jug and pipes* 1658, oil on canvas, 67 × 59 cm, inv.no 1045
2 Jan Jansz Treck *Still-life with a stoneware jug and pipes* 1647, oil on panel, Amsterdam, Rijksmuseum
3 Jan Jansz van de Velde *Still-life with a rummer and beer glass* 1658, oil on panel, Amsterdam, Rijksmuseum

1

Pieter van Anraadt
Still-life with a stoneware jug and pipes

Visitors to the Mauritshuis have occasionally believed this painting to be a still-life by Vermeer. The pictorial qualities are more noticeable than the signature 'Pieter van / Anraadt', bottom left. The artist is relatively unknown and has, moreover, the reputation of being a mediocre portrait painter. Nevertheless, he once painted this undisputed masterpiece, deriving its composition from works by Jan Jansz Treck and Jan Jansz van de Velde. Possibly Van Anraadt wanted to represent the four elements: fire (the coal scuttle), air (which is inhaled through the pipe and tobacco), earth (the stoneware jug) and water (the basic ingredient of beer).

2

3

Frans van Mieris
Bordeelscène

In de zeventiende eeuw werd zo'n tafereel onomwonden een 'bordeeltgen' genoemd. Allerlei details herkende men als toespelingen op het pikante thema. Maar tijdens de preutse Victoriaans tijd werd het bovenste van de parende hondjes weggeschilderd en aldus de boodschap van de schilder verdonkeremaand. Hij liet de kijker weten: zoals de hondjes, zo is de juffrouw. Een illustratie bij een minnezang uit die tijd vertoont een dergelijke frivoliteit. Het vrijende paar in de deur brengt het gezegde in beeld: 'vóór herberg, achter bordeel' en de voorover op tafel liggende jongen vormt een waarschuwing tegen dronkenschap. Aan het beddegoed, de luit en de bierkan, de omgekeerde hoed en de scheefstaande kaars kan men betekenissen toekennen die het geheel verduidelijken en daarmee de 'groote geest'(igheid) van Van Mieris aantonen.

1

Frans van Mieris
Brothel scene

In the 17th century a scene like this would have been called (without any resort to euphemisms) a 'bordeeltgen' (brothel scene). In many details the viewer would have recognized allusions to this risqué theme. In Victorian times, however, one of the mating dogs (the male) was prudishly painted out so that the artist's intention became obscure. What he wanted to convey to the viewer was that the young lady was no better than the dogs. An image illustrating a contemporary love song shows the same sense of frivolity. The embracing couple in the doorway exemplify the proverb, 'in front the inn, to the rear the brothel' and the boy lying face down on the table is there to warn us against drunkenness. The bedclothes, the lute, the beer mug, the reversed hat and the crooked candle all have a double meaning. These double-entendres point to the significance of the whole work and at the same time Van Mieris's famous 'wit'.

1 Frans van Mieris *Bordeelscène* 165(8?), schilderij op paneel, 42,8 × 33,3 cm, inv.nr. 860
2 Illustratie uit: Jan Harmensz Krul, *Pampiere wereld ofte wereldsche oeffeninge* (1681)
3 Detail

1 Frans van Mieris *Brothel scene* 165(8?), oil on panel, 42.8 × 33.3 cm, inv.no 860
2 Illustration from: Jan Harmensz Krul, *Pampiere wereld ofte wereldsche oeffeninge* (1681)
3 Detail

2

3

Johannes Vermeer
Gezicht op Delft

Vermeer was geen commerciële veelschilder: meer dan dertig meesterwerken heeft hij vermoedelijk niet gemaakt. Het *Gezicht op Delft* is steeds door schilders en kunstkenners ademloos bestudeerd. De Franse criticus Thoré-Bürger schreef in 1866 na een bezoek aan Den Haag enthousiaste commentaren die hem de naam van 'herontdekker' van Vermeer opleverden. In dit stadsgezicht herkent men van links naar rechts de Zuidwal, de Schiedamse Poort, de Rotterdamse Poort en daarachter, in het zonlicht, de toren van de Nieuwe Kerk. Een oude plattegrond van de stad en een getekend *Gezicht op Delft* van Abraham Rademaker (die de stad van dezelfde plek zag als Vermeer) tonen aan dat Vermeer geen fotografische werkelijkheid afbeeldde. Eigenlijk krijgen we een beter beeld van zijn weergaloze manier van schilderen dan van het precieze uiterlijk van Delft in 1660.

1 Johannes Vermeer *Gezicht op Delft* (ca. 1660), schilderij op doek, 98 × 117,5 cm, inv.nr. 92
2 Johannes de Ram *Plattegrond van Delft* (ca. 1675/78), gravure (detail)
3 Abraham Rademaker *Gezicht op Delft* (ca. 1700/10), tekening, Delft, Stedelijk Museum 'Het Prinsenhof'

1 Johannes Vermeer *View of Delft* (ca 1660), oil on canvas, 98 × 117.5 cm, inv.no 92
2 Johannes de Ram *City map of Delft* (ca 1675/78), engraving (detail)
3 Abraham Rademaker *View of Delft* (ca 1700/10), drawing, Delft, Stedelijk Museum 'Het Prinsenhof'

1

Johannes Vermeer
View of Delft

Vermeer was not a prolific painter, profit was not his sole interest; he probably made no more than the 30 masterpieces known to us. Through the ages the *View of Delft* has always been the object of careful study by both painters and art experts. On his return from a visit to The Hague in 1866, the French critic Thoré-Bürger wrote enthusiastic commentaries which earned him the name of Vermeer's 're-discoverer'. In this townscape we see, from left to right, the South Quay, the Schiedam Gate, the Rotterdam Gate and behind, in the sunlight, the tower of the New Church (Nieuwe Kerk). An old city map, and a drawing representing a *View of Delft* by Abraham Rademaker (who saw the town from exactly the same viewpoint as Vermeer) show that Vermeer did not render the townscape photographically. In fact, the painting actually gives us an impression of Vermeer's extraordinary method of painting rather than the city of Delft as it would have looked in 1660.

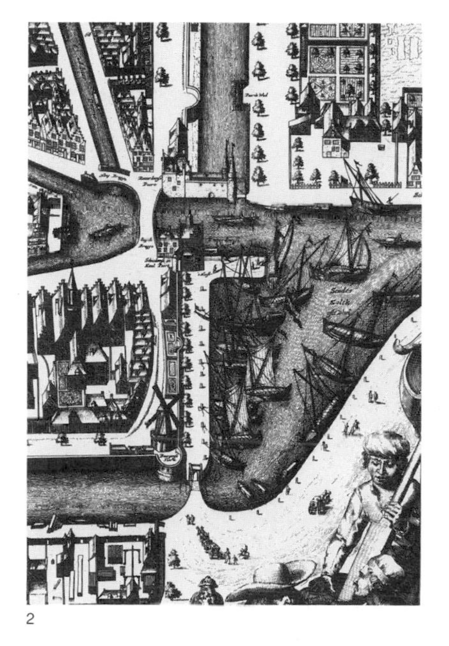

2

3

Willem van Aelst
Bloemstilleven met horloge

De signatuur 'Guill(er)mo van Aelst' herinnert aan het verblijf van de schilder in Italië, waar hij tot 1656 werkte voor de hertog van Toscane. Zijn boeket staat in een pronkvaas, een werkstuk van de beroemde Amsterdamse zilversmid Johannes Lutma. Typisch Hollands is wellicht ook de verwijzing naar de vergankelijkheid in dit uitbundige geheel. Het horloge symboliseert de tijdelijkheid, net als de gaten in de bloembladen. De vlieg op de rose roos verwijst naar de dood. Zo'n vlieg komt ook voor op het *Jachtstilleven* van Van Aelst, dat thans met het *Bloemstilleven met horloge* naast het *Gezicht op Delft* van Johannes Vermeer is opgehangen.

1 Willem van Aelst *Bloemstilleven met horloge* 1663, schilderij op doek, 62,5 × 49 cm, inv.nr. 2
2 Willem van Aelst *Jachtstilleven* 1671, schilderij op doek, 58,8 × 47,8 cm, inv. nr. 3

1 Willem van Aelst *Still-life with flowers and a watch* 1663, oil on canvas, 62.5 × 49 cm, inv.no 2
2 Willem van Aelst *Hunt still-life* 1671, oil on canvas, 58.8 × 47.8 cm, inv.no 3

1

Willem van Aelst
Still-life with flowers and a watch

The signature 'Guill(er)mo van Aelst' recalls the artist's stay in Italy, where he worked for the Duke of Tuscany up to 1656. His flowers are arranged in an ostentatious vase, a work by the famous Amsterdam silversmith Johannes Lutma. Another element which might be considered typically Dutch is the allusion to life's transience within such an exuberant context. The watch symbolizes life's brevity as do the holes appearing in the petals. The fly on the pink rose is a reminder of death. A similar fly can be found in Van Aelst's *Hunt still-life*, which now hangs on the other side of Vermeer's *View of Delft*.

2

Johannes Vermeer
Meisje met een tulband

Vermeer is nooit echt miskend geweest, hoogstens een onbekende bij het grote publiek. Zo was het mogelijk dat in 1882 het *Meisje met een tulband* voor nog geen rijksdaalder verkocht werd aan een Haagse verzamelaar, die het in 1903 schonk aan het Mauritshuis. Over Vermeer waren lange tijd zo weinig bijzonderheden bekend dat men hem de 'Sfinx van Delft' noemde. Om zijn leven toch enige kleur te geven noemde men dit meisje zijn dochter Maria. Een portret lijkt het echter niet te zijn, eerder 'Een Tronie in Antique Klederen'. Zo werd het schilderij immers in een zeventiende-eeuwse inventaris omschreven. Zij beeldt een type uit, zoals een meisje met een lauwerkrans en loftrompet de Schilderkunst symboliseert in het gelijknamige schilderij. Voor ons wordt het verschil tussen een portret en een 'tronie' wellicht duidelijker als we het *Meisje met een tulband* vergelijken met het portret dat Frans van Mieris tegelijkertijd schilderde van zijn vrouw, Cunera van der Cock.

1 Johannes Vermeer *Meisje met een tulband* (ca. 1660), schilderij op doek, 46,5 × 40 cm, inv.nr. 670
2 Frans van Mieris *Portret van Cunera van der Cock* (ca. 1657/60), schilderij op perkament, Londen, National Gallery
3 Johannes Vermeer *De Schilderkunst* (ca. 1662/65), schilderij op doek, Wenen, Kunsthistorisches Museum

1 Johannes Vermeer *Girl with a turban* (ca 1660), oil on canvas, 46.5 × 40 cm, inv.no 670
2 Frans van Mieris *Portrait of Cunera van der Cock* (ca 1657/60), oil on parchment, London, National Gallery
3 Johannes Vermeer *The Art of Painting* (ca 1662/65), oil on canvas, Vienna, Kunsthistorisches Museum

1

Johannes Vermeer
Girl with a turban

Vermeer has never really been lacking in recognition; he was, at worst, unknown to the general public. This may account for the fact that in 1882 the *Girl with a turban* was sold for less than two guilders and fifty cents (a 'rijksdaalder') to an art collector in The Hague, who donated it to the Mauritshuis in 1903. For a long time so little was known about Vermeer's life that people referred to him as the 'Sphinx of Delft'. In order to add some colour to the artist's life, this girl was identified as being his daughter Maria. Rather than a portrait, however, the picture seems to have been simply a 'head (Dutch: 'tronie') in antique dress'. The turbanned girl representing a particular type, just as the girl with a laurel wreath and a trumpet symbolizes the Art of Painting in the picture of that title. The difference between a portrait and a 'head' might become clearer to us if we compare the *Girl with a turban* to the portrait which Frans van Mieris painted of his wife.

2

3

Pieter Saenredam
De Mariaplaats met Mariakerk te Utrecht

Boven de vrouwtjes die lompen versnijden staat op een bewaarplaats voor brandladders dat Pieter Saenredam dit schilderde op 20 november 1659. De Mariakerk te Utrecht had hij drieëntwintig jaar eerder ter plaatse getekend 'naar het leven'. Saenredams in- en exterieurs van Hollandse kerken ademen vooral rust en stilte. Ze zijn bovendien van grote waarde voor onze kennis van de architectuurgeschiedenis. Van de romaanse Mariakerk is nu vrijwel niets meer over. Zij werd omstreeks 1085 gebouwd naar Noord-italiaans voorbeeld. De Beeldenstorm betekende het begin van het verval van het unieke gebouw. In Saenredams tijd was het Bijlhouwersgilde in het (gothische) koor gevestigd: hun uithangbord prijkt boven de achteringang. De vredige stilte in Saenredams tafereel was zoals hij het zelf graag zag, want op de Mariaplaats heerste meestal het rumoer van de Utrechtse markt. Een tekening van Dirck Matham uit omstreeks 1620 toont de daar gebruikelijke drukte.

1 Pieter Saenredam *De Mariaplaats met Mariakerk te Utrecht* 1659, schilderij op paneel, 44 × 63 cm, inv.nr. 974
2 Pieter Saenredam *De Mariaplaats met Mariakerk te Utrecht* 1636, tekening Utrecht, Gemeentearchief
3 Dirck Matham *De Mariaplaats te Utrecht* (ca. 1620), tekening, Utrecht, Gemeentearchief

1 Pieter Saenredam *The Mariaplaats with the Church of Our Lady in Utrecht* 1659, oil on panel, 44 × 63 cm, inv.no 974
2 Pieter Saenredam *The Mariaplaats with the Church of Our Lady in Utrecht* 1636, drawing, Utrecht, City archives
3 Dirck Matham *The Mariaplaats in Utrecht* (ca 1620), drawing, Utrecht, Gemeentearchief

1

Pieter Saenredam
The Mariaplaats with the Church of Our Lady in Utrecht

The inscription on the depository for fire ladders above the two women cutting rags, states that Pieter Saenredam painted this picture on 20 November 1659. 23 Years earlier he had drawn the Church of Our Lady in Utrecht on the spot, 'from nature'. Saenredam's interiors and exteriors of Dutch churches mainly exude an atmosphere of peace and serenity. They are, moreover, of great importance to our knowledge of architectural history. Today hardly anything remains of the original church, which was built around 1085 in the Italian Romanesque Style. With the outbreak of Iconoclasm this exceptional building first fell into disrepair. In Saenredam's own day the guild of stonemasons resided in the (Gothic) choir: their signboard can be seen hanging over the back entrance. The serenity of Saenredam's panel reflects an ideal vision, for the Mariaplaats would normally have been full of noise and activity from Utrecht's market. A drawing dating from about 1620 by Dirck Matham shows how busy the place usually looked.

2

3

Jan Steen
De oestereetster

Het Mauritshuis bezit niet alleen het grootste schilderij van Jan Steen, maar ook het kleinste: *De oestereetster*. De haast miniatuurachtige uitvoering is een openlijke imitatie van de stijl van de Leidse fijnschilder Frans van Mieris, die in de jaren vóór 1660 zijn boezemvriend zou zijn geweest. Zij waardeerden elkaars geestigheden, die soms ook wel verpakte pikanterieën waren. *Een man die een pijp stopt* van Van Mieris bevat een dubbelzinnigheid, getuige de vette grijns van de als een pias verklede man. Waarschijnlijk is de blik van het meisje en het tonen van de oester bij Jan Steen minder onschuldig dan het op het eerste gezicht lijkt.

1

Jan Steen
A girl eating oysters

The Mauritshuis houses not only Jan Steen's biggest painting, but his smallest too: *A girl eating oysters*. With the almost miniaturist execution of this painting Steen was openly imitating the style of Frans van Mieris, the 'fine painter' of Leiden, who is said to have been Steen's bosom friend in the years prior to 1660. They appreciated each other's jokes, which were sometimes concealed innuendoes. Judging from the broad grin displayed by the man in buffoonish dress, Van Mieris's *Man filling his pipe* contains some element of double entendre. Likewise, the girl's glance and her displaying of the oyster, are not quite as innocent as they might seem at first sight.

1 Jan Steen *De oestereetster* (ca. 1658/60), schilderij op paneel, 20,5 × 14,5 cm, inv.nr. 818
2 Frans van Mieris *Een man die een pijp stopt* 1658, schilderij op paneel, voorheen Sibiu, Muzeul Bruckenthal

1 Jan Steen *A girl eating oysters* (ca 1658/60), oil on panel, 20.5 × 14.5 cm, inv.no 818
2 Frans van Mieris *A man filling his pipe* 1658, oil on panel, formerly Sibiu, Muzeul Bruckenthal

2

Jan Steen
Het leven van de mens

'Het leven is een schouwtoneel, elk speelt zijn rol en krijgt zijn deel', dichtte Vondel. Jan Steen onthult voor ons hoe hij zich de menselijke komedie voorstelde. Links is een kind aan de zorgen van grootvader toevertrouwd, terwijl rechts de ouders zich overgeven aan spijs en drank onder liederlijk gezang. Op de voorgrond leert een jongetje de kat dansen, terwijl ouderen zich op de achtergrond vermeien met een kansspel. In het midden probeert een oude man een jong meisje te verleiden met een oester. Door het leven van zijn slechtste kant te laten zien, spoort de schilder ons aan tot deugdzaamheid. Als een vermaning verbergt zich een jongetje op de vliering onder het opgetrokken voorhang met naast zich een doodskop. Hij blaast bellen uit een pijpje en wil daarmee zeggen: pas op, het leven van de mens is als een zeepbel. Onder andere dankzij prenten was men met dit zinnebeeld vertrouwd geraakt.

1 Jan Steen *Het leven van de mens* (ca. 1674), schilderij op doek, 68 × 82 cm, inv.nr. 170
2 Detail met de bellenblazende jongen naast een doodskop
3 Hendrick Goltzius *'Quis evadet?' (wie ontsnapt er aan?)* 1594, gravure

1 Jan Steen *The life of man* (ca 1674), oil on canvas, 68 × 82 cm, inv.no 170
2 Detail showing the boy blowing bubbles with skull
3 Hendrick Goltzius *'Quis evadet?' (who can escape it?)* 1594, engraving

1

Jan Steen
The life of man

The poet Vondel once wrote, 'The world is a stage, each plays his part and gets his fair share'. Jan Steen here shows us his interpretation of the human comedy. To the left a child is entrusted to its grandfather while on the right its parents can be seen giving themselves over to eating, drinking and vulgar songs. In the foreground a little boy is teaching a cat how to dance. Meanwhile the grown-ups in the background are enjoying themselves at gambling. At the centre of the painting an old man is trying to seduce a young girl with an oyster as bait. By showing life at its lowest, the artist urges us to be virtuous. To admonish us there is a boy hiding beneath the raised curtain of the attic, with a skull beside him. Blowing bubbles from a small pipe, he seems to say: 'Be careful; man's life is like a soap-bubble'. People would have been familiar with this imagery chiefly through prints.

2

3

Jan Steen
'Zoals de ouden zongen, zo piepen de jongen'

De tekst die de oude vrouw van een papier opleest, luidt vrij vertaald: 'zoals de ouden zongen, zo piepen de jongen'. De ouderen geven het slechte voorbeeld. Jan Steen zelf stond model voor de vader met de scheefstaande hoed die een jongen laat roken. Zijn vrouw Grietje, een toonbeeld van luiheid en slordigheid, heft vrolijk het wijnglas. De oude man met de kraamherenmuts is eerder een hansworst dan een wijze grootvader. De papegaai, die zogenaamd als een mens kan spreken, kijkt over zijn schouders en lijkt te zeggen: wat zijn wij domme naäpers.

1 Jan Steen *'Zoals de ouden zongen, zo piepen de jongen'* (ca. 1663/65), schilderij op doek, 134 × 163 cm, inv.nr. 742
2 Detail met Jan Steen zelf
3 Detail met de grootvader

1 Jan Steen *'The way you hear it, is the way you sing it'* (ca 1663/65), oil on canvas, 134 × 163 cm, inv.no 742
2 Detail showing Jan Steen himself
3 Detail showing the grandfather

1

Jan Steen
'The way you hear it, is the way you sing it'

The old woman is reading a sheet of paper on which is written, freely translated: 'as the old sing, so the young twitter'. Members of the older generation are setting a bad example to the young. Jan Steen painted himself as the father figure, with his hat crooked, who is teaching a boy to smoke. Steen's wife Grietje, the model of idleness and slovenliness, jovially raises her glass of wine. The old man, who is wearing a cap of a type which is normally worn by the father of a new-born child, looks like a buffoon rather than a wise grandfather. The parrot, who is supposed to be capable of human speech, glances over his shoulder as if to say: 'How foolishly we all mimic each other'.

2

3

Frans Hals
Portret van Jacob Pietersz Olycan

In een notedop vertelt het wapenschild links boven een verhaal over de negenentwintig-jarige man die Hals portretteerde in 1625. De goudkleurige kan verraadt zijn naam: (Jacob Pietersz) Olycan; de struisvogel met het hoefijzer in de bek verwijst naar de brouwerijen die zijn familie bezat in Haarlem, 'De Vogel Struys' en ''t Hoeffijser'. Hij trouwde in 1625 Aletta Hanemans – vandaar haar wapenschild met de rode haan, geschilderd op het pendant. Ze lieten zich portretteren in een conventionele pose en tonen door hun kleding hun niet geringe welstand. Minstens twaalf leden van de familie Olycan of hun verwanten poseerden vroeger of later voor Frans Hals.

1 Frans Hals *Portret van Jacob Pietersz Olycan* 1625, schilderij op doek, 124,6 × 97,3 cm, inv.nr. 459
2 Frans Hals *Portret van Aletta Hanemans* 1625, schilderij op doek, 124,2 × 98,2 cm, inv.nr. 460

1 Frans Hals *Portrait of Jacob Pietersz Olycan* 1625, oil on canvas, 124.6 × 97.3 cm, inv. no 459
2 Frans Hals *Portrait of Aletta Hanemans* 1625, oil on canvas, 124.2 × 98.2 cm, inv.no 460

1

Frans Hals
Portrait of Jacob Pietersz Olycan

The coat of arms at the top left-hand side tells us, in a nutshell, the story of the 29-year-old man whom Hals portrayed in 1625. The gold coloured jug reveals his name, (Jacob Pietersz) Olycan; the ostrich holding a horseshoe in its beak refers to the breweries which his family owned in Haarlem, 'The Ostrich' ('De Vogel Struys') and 'The Horseshoe' (' 't Hoefijser'). In 1625 he married Aletta Hanemans – hence her coat of arms with the red cock (Dutch: 'haan') is painted on the companion piece. Their choice of pose is conventional and their dress shows evidence of their considerable wealth. At least 12 members of the Olycan family or relatives are known to have sat for Frans Hals at one time or another.

2

Jan Steen
Jacoba Maria van Wassenaer of Bernardina Margriet van Raesfeld

De wapenschilden boven de poort maken niet duidelijk of dit Jacoba Maria van Wassenaer is, zes jaar oud, dan wel haar tienjarige nichtje Bernardina Margriet van Raesfeld. Zij woonden beiden in 1660 op het kasteel Oud-Teylingen bij Leiden, dat midden achter is te zien. De entourage is overigens bedacht en vol symboliek. Bijvoorbeeld: het lammetje dat melk krijgt – vanouds het teken van onschuld – contrasteert met de dwerg als personificatie van het kwaad. De arme knecht werkt in een weelderige hoenderhof. Er zijn bomen vol in blad en een kaal exemplaar op voorgrond. Kortom: het gaat om de keuze tussen onschuld of ondeugd, rijkdom of armoe, dood of leven.

1 Jan Steen *Jacoba Maria van Wassenaer of Bernardina Margriet van Raesfeld* 1660, schilderij op doek, 107,4 × 81,4 cm, inv.nr. 166
2 Detail
3 Roelant Roghman *Kasteel Oud-Teylingen* (ca. 1650), tekening, Leiden, Universiteitsbibliotheek

1 Jan Steen *Jacoba Maria van Wassenaer or Bernardina Margriet van Raesfeld* 1660, oil on canvas, 107.4 × 81.4 cm, inv.no 166
2 Detail
3 Roelant Roghman *Oud-Teylingen Castle* (ca 1650), drawing, Leiden, Universiteitsbibliotheek

1

Jan Steen
Jacoba Maria van Wassenaer or Bernardina Margriet van Raesfeld

The coats of arms over the gate do not make it clear whether this is Jacoba Maria van Wassenaer, at the age of six, or her ten-year-old cousin Bernardina Margriet van Raesfeld. In 1660 both girls were living in Oud-Teylingen Castle near Leiden, which can be seen to the centre of the background. It is worth noticing that the surroundings are imaginary and that they include numerous symbols. For example: the lamb which is being given its milk – traditionally the symbol of innocence – contrasts with the dwarf personifying evil. The poor labourer is working in a wealthy man's poultry-yard. The trees are in full bloom but the one in the foreground is bare. In short: the picture is about the contrast between innocence and vice, wealth and poverty, life and death.

2

3

Jan Baptist Weenix
Een dode patrijs

Net vijfendertig jaar oud betrok Jan Baptist Weenix een adellijk buiten, Huis ter Mey, ten noorden van Utrecht: een uitzonderlijke luxe voor een schilder in die tijd. Onder de burgers leefde toen een toenemende zucht naar status, waarbij symbolen gebruikt werden die ontleend waren aan de voorrechten van de elite. De jacht was het privilege van de adel en dus lieten rijke kooplieden zich graag afbeelden als jagers met jachtbuit. *Een dode patrijs* is op de eerste plaats een proeve van Weenix' meesterschap met het penseel, maar misschien ook een symptoom van zijn maatschappelijk prestige.

1

Jan Baptist Weenix
A dead partridge

At the early age of 35, Jan Baptist Weenix moved into a manor house, Huis ter Mey, to the north of Utrecht: in those days an exceptional luxury for a painter. At the time there was a growing desire for social status among the bourgeoisie and they would use symbols which were derived from the privileges of the elite. Hunting was one such noble privilege and wealthy merchants would therefore be keen to be portrayed as huntsmen with their catch. *A dead partridge* gives us proof of Weenix's mastery of the brush, but it may also have been intended as a token of his social standing.

1 Jan Baptist Weenix *Een dode patrijs* (ca. 1657/60), schilderij op doek, 50,6 × 43,5 cm, inv.nr. 940
2 Anoniem *Gezicht op het Huis ter Mey* (ca. 1650), tekening, Utrecht, Rijksarchief

1 Jan Baptist Weenix *A dead partridge* (ca 1657/60), oil on canvas, 50.6 × 43.5 cm, inv.no 940
2 Anonymous *View of Huis ter Mey* (ca 1650), drawing, Utrecht, Rijksarchief

2

Pieter Codde
Portret van een aanstaand echtpaar

De Gouden Eeuw was bij uitstek een periode waarin het bescheiden talent kon schitteren tot profijt van de niet al te bemiddelde opdrachtgever. In 1634 vervoegde zich bij Pieter Codde een nog ongetrouwd stel. We weten dat ze 'verloofd' zijn, omdat de vrouw aan de rechterkant staat van de jongeman. Ze wilden samen in een portret, ten voeten uit en hij een beetje 'haantje de voorste'. Kennelijk wist Codde hoe Rembrandt toen portretopdrachten aanpakte, want hij imiteerde voor deze gelegenheid op klein formaat de monumentale pose van het echtpaar Soolmans. Een subtiel verschil in status blijkt uit de vloer: gewone planken bij Codde, marmeren tegels bij Rembrandt.

1

Pieter Codde
Portrait of an engaged couple

The Golden Age was pre-eminently a period in which modest talent could excel to the benefit of the patron of moderate means. In 1634 Pieter Codde was called upon by a couple who were shortly to be married. We know that they are 'engaged' because the woman is standing to the right of the young man. They wanted a full-length portrait together, with the man standing slightly more to the front. Apparently Codde had seen how Rembrandt dealt with portrait commissions at the time, for although on a smaller scale, his picture resembles the monumental pose of the Soolmans couple. A subtle difference can be seen in the floor: ordinary floorboards in Codde's portrait, marble tiles in Rembrandt's.

1 Pieter Codde *Portret van een aanstaand echtpaar* 1634, schilderij op paneel, 43 × 35 cm, inv.nr. 857
2 Rembrandt *Portret van Maarten Soolmans* en *Portret van Oopjen Coppit* 1634, schilderijen op doek, Parijs, collectie erven baron A. de Rothschild

1 Pieter Codde *Portrait of an engaged couple* 1634, oil on panel, 43 × 35 cm, inv.no 857
2 Rembrandt *Portrait of Maarten Soolmans* and *Portrait of Oopjen Coppit* 1634, oil on canvas, Paris, collection: the estate of Baron A. de Rothschild

2

Hendrick Avercamp
IJsvermaak

Dit zou het beeld kunnen zijn van een winterse dag in 1610. Als het vriest in Holland, gaan jong en oud het ijs op: deftige dames en heren, de sjouwersman, de dorpsgek op zijn sleetje en de dandy in zijn helgele wambuis. Links zijn mensen door het ijs gezakt en bij de brug gaat een dame onderuit. Hendrick Avercamp schilderde wel de werkelijkheid, maar dacht daarbij misschien ook aan 'De slibberachtigheyt van 's menschen leven', zoals Pieter Bruegel deed bij een dergelijk tafereel. Mogelijk is slechts het seizoen 'Winter' uitgebeeld. Dat is de titel van een prent die Avercamp misschien als voorbeeld heeft gebruikt voor de compositie van zijn toneel.

1 Hendrick Avercamp *IJsvermaak* (ca. 1610), schilderij op paneel, 36 × 71 cm, inv.nr. 785
2 Details
3 Frans Huys naar Pieter Bruegel *De slibberachtigheyt van 's menschen leven* 1553, gravure
4 Anoniem naar David Vinckboons *Winter* (ca. 1605/10), gravure

1 Hendrick Avercamp *Ice sports* (ca 1610), oil on panel, 36 × 71 cm, inv.no 785
2 Details
3 Frans Huys after Pieter Bruegel *The slipperiness of man's life* 1553, engraving
4 Anonymous after David Vinckboons *Winter* (ca 1605/10), engraving

1

2

Hendrick Avercamp
Ice sports

This could simply be a picture of a wintry day in 1610. Whenever it freezes in Holland, young and old take to the ice: fashionable ladies and gentlemen, the porter, the village idiot on his little sledge and the dandy in his bright yellow doublet. To the left a number of people have just fallen through the ice and by the bridge a lady has lost her balance. Hendrick Avercamp was painting reality but may also have been thinking of 'The slipperiness of man's life', as was the case in a similar scene by Pieter Bruegel. Perhaps it merely depicts 'Winter'. This is the title of a print which Avercamp may have used for the composition of his image.

3

4

Jan Davidsz de Heem
Stilleven met boeken

Toen Jan Davidsz de Heem van 1625 tot 1632 in Leiden verbleef, schilderde hij de daar geliefde vanitasstillevens met boeken. 'Het is al ijdelheid (= vanitas)' is een spreuk ontleend aan het boek der boeken, waar de calvinisten in deze universiteitsstad zogezegd mee opstonden en naar bed gingen. Hier ligt geen bijbel op tafel, maar duidelijk herkenbaar een toen populaire roman, *Rodd'rick ende Alphonsus* van Gerbrand Adriaensz Bredero. Achter deze kapotgelezen liefdesroman ligt een bundel amoureuze verzen van Jacob Westerbaen: *Kvsiens. Clachten*. Mogelijk is het stilleven in opdracht van de dichter Westerbaen gemaakt.

1 Jan Davidsz de Heem *Stilleven met boeken* 1628, schilderij op paneel, 36,1 × 48,4 cm, inv.nr. 613
2 Detail met de roman van Bredero
3 Titelpagina van G.A. Bredero *Treur-spel van Rodd'rick ende Alphonsvs* (1620)

1 Jan Davidsz de Heem *Still-life with books* 1628, oil on panel, 36.1 × 48.4 cm, inv.no 613
2 Detail showing the romance by Bredero
3 Title page of G.A. Bredero's *Treur-spel of Rodd'rick ende Alphonsvs* (1620)

1

Jan Davidsz de Heem
Still-life with books

While living in Leiden between 1625 and 1632, Jan Davidsz de Heem painted the vanitas still-lifes including the books which were so popular there. 'All is vanity' is a saying derived from the book of books, which the Calvinists in this university town could hardly bring themselves to put down. The book lying on the table is not a Bible but can be clearly recognized as a popular story of the time, *Rodd'rick ende Alphonsvs* by Gerbrand Adriaensz Bredero. Behind this romance, which appears to be falling apart from constant reading, lies a collection of love poems by Jacob Westerbaen: *Kvsiens. Clachten* (Kisses. Complaints). Possibly the still-life was commissioned by the poet Westerbaen.

3

Esaias van den Velde
Winterlandschap

Wat trok Rembrandt zo in dit *Winterlandschap* van Esaias van den Velde uit 1624 dat hij er zelf – naar men met enige stelligheid beweert – een variant op schilderde in 1646? Uiteraard beviel hem de brede verfbehandeling, maar vermoedelijk ook de overtuigende sfeerschildering. De kale takken en sombere gesloten huizen tekenen de grimmige winterdag. Berijpte gestalten reppen zich over het ijs en de altijd onbezorgde jeugd maakt van de nood een deugd. Kinderen spelen kolf en een jongeman bindt de schaatsen onder. De losse toets van Esaias van den Velde wist Rembrandt te overtreffen in een welhaast impressionistische registratie.

1

Esaias van den Velde
Winter landscape

What is it in this *Winter landscape* of 1624 by Esaias van den Velde, that inspired Rembrandt – as some people firmly believe – to paint a variant of it in 1646? Without doubt the broad use of the brush appealed to him, but presumably he was also drawn by the convincing atmosphere of the work. The bare branches and gloomy houses shut-off from the world characterize the grim winter's day. Figures covered with hoar-frost hasten across the ice and the ever carefree young seem to be making the best of the situation. Children are playing a game of 'kolf' and a young man is tying on his skates. Rembrandt managed to surpass Esaias van den Velde's free handling of the brush in an almost impressionistic rendering.

1 Esaias van den Velde *Winterlandschap* 1624, schilderij op paneel, 26 × 32 cm, inv.nr. 673
2 Rembrandt *Winterlandschap* 1646, schilderij op paneel, Kassel, Staatliche Kunstsammlungen

1 Esaias van den Velde *Winter landscape* 1624, oil on panel, 26 × 32 cm, inv.no 673
2 Rembrandt *Winter landscape* 1646, oil on panel, Kassel, Staatliche Kunstsammlungen

2

Jacob de Wit
Apollo en de muzen

In 1743 voltooide Jacob de Wit deze plafonddecoratie voor het huis van Diederik van Leyden van Vlaardingen aan het Rapenburg 48 te Leiden. Het grote doek stelt Apollo voor tussen, van links naar rechts: Calliope (de muze van het epos), Euterpe (het fluitspel), Terpsichore (de reidans en koorzang), Polyhymnia (de dans), Erato (het minnedicht), Clio (de geschiedenis), Melpomene (de tragedie), Thalia (de komedie) en Urania (de sterrenkunde). In de vier hoekstukken beelden putto's met schapen de pastorale uit, putto's met wapenen het epos, putto's met een masker de komedie en putto's met een lijk bij een brandoffer de elegie. In 1910 werd dit plafond naar het Mauritshuis overgebracht.

1 Jacob de Wit *Apollo en de muzen* 1743, schilderij op doek, 395 × 636 cm, inv.nr. 731
2 Jacob de Wit *Het epos* (a), *De tragedie* (b), *De komedie* (c) *De pastorale* (d) (1743), grisailles op doek, elk 270 × 398 cm, inv.nr. 732-735

1 Jacob de Wit *Apollo and the muses* 1743, oil on canvas, 395 × 636 cm., inv.no 731
2 Jacob de Wit *Epic poetry* (a), *Tragedy* (b), *Comedy* (c) and *Pastoral song* (d) (1743), grisailles on canvas, each 270 × 398 cm, inv.no 732-735

Jacob de Wit
Apollo and the muses

In 1743 Jacob de Wit finished this ceiling decoration for Diederik van Leyden van Vlaardingen's house at 48 Rapenburg in Leiden. The large canvas shows Apollo surrounded by the muses. They are, from left to right: Calliope (muse of epic poetry), Euterpe (flute-playing), Terpsichore (choral dance and song), Polyhymnia (dancing), Erato (love poetry), Clio (history), Melpomene (tragedy), Thalia (comedy) and Urania (astronomy). In the four corners are: putti with sheep, representing pastoral song; putti with weapons, representing epic poetry; putti with a mask, comedy; and putti with a corpse at a funeral pyre, elegy. The ceiling was transferred to the Mauritshuis in 1910.

1

2a

2b

2c

2d

Paulus Potter
De stier

De *Farnesische stier* is een van de beroemdste voorbeelden van een dier als hooggewaardeerd onderwerp in de kunst sinds de oudheid. Het bedriegelijk echte in de uitbeelding was voor sommige schilders het bewijs van waar meesterschap. De bijna haar voor haar geschilderde huid van *De stier* van Potter en de levensechte vliegen rond de romp zijn ongetwijfeld zijn antwoord op die oude verhalen. Potter schilderde met de aandacht van een miniaturist op een levensgroot formaat. Het kolossale doek (hij heeft het ook nog eigenhandig vergroot aan drie zijden) voltooide hij op tweeëntwintigjarige leeftijd: was dit louter stuntwerk of handelde Potter in opdracht? Zijn schilderij lijkt oppervlakkig gezien op de afbeelding van een prijsdier zoals men die wel kon aantreffen in de gildekamers of in de Vleeshal. Toch is *De stier* van Potter eerder een verhalend tafereel, waarvan de boodschap ons vooralsnog ontgaat.

1 Paulus Potter *De stier* 1647, schilderij op doek, 235,5 × 339 cm, inv.nr. 136
2 Anoniem *Portret van een witte stier* (1600/50), schilderij op doek, Dublin, National Gallery of Ireland
3 Anoniem *Een prijsos* 1564, schilderij op doek, Amsterdam, Amsterdams Historisch Museum

1 Paulus Potter *The bull* 1647, oil on canvas, 235.5 × 339 cm, inv.no 136
2 Anonymous *Portrait of a white bull* (1600/50), oil on canvas, Dublin, National Gallery of Ireland
3 Anonymous *A prize bull* 1564, oil on canvas, Amsterdam, Amsterdams Historisch Museum

1

Paulus Potter
The bull

The *Farnese bull* is perhaps the most famous example since antiquity of a work of art in which the main subject is an animal. For some painters the deceptively realistic quality of the statue was a proof of real mastery. Potter's answer to these ancient stories can undoubtedly be found in the meticulous rendering of *The bull*'s skin and the life-like flies above the animal's bulk. His painting was produced life-size with a miniaturist's eye for detail. Potter completed the huge canvas (which he managed to extend on three sides by himself) at the age of 22. Did he paint it purely to impress people or was Potter carrying out a commission? His picture shows a superficial resemblance to the images of prize-winning animals one would sometimes find in guild halls or meat markets. However, Potter's *Bull* is more likely to be a narrative scene, whose message has yet to be discovered.

2

3

Paulus Potter
Spiegelende koetjes

Paulus Potter heeft als geen ander het dier in de kunst tot zijn onderwerp gemaakt. Hij heeft dieren getekend, geëtst en geschilderd. Naast de geweldige *Stier* hangt in het Mauritshuis *Spiegelende koetjes* dat op veel intiemer formaat is geschilderd. Potters grote werklust zou de oorzaak zijn geweest van de ziekte waaraan hij is overleden (de tering), heette het. Hij werd op 17 januari 1654 begraven, pas achtentwintig jaar oud. Zijn portret werd na zijn dood geschilderd door Bartholomeus van der Helst. Van der Helst gebruikte hiertoe een getekend *Zelfportret* van Paulus Potter.

1 Paulus Potter *Spiegelende koetjes* 1648, schilderij op paneel, 43,4 × 61,3 cm, inv.nr. 137
2 Paulus Potter *Zelfportret* (ca. 1650/52), tekening, Stockholm, Nationalmuseum
3 Bartholomeus van der Helst *Posthuum portret van Paulus Potter* 1654, schilderij op doek, 99 × 80 cm, inv.nr. 54

1 Paulus Potter *Cows reflected in the water* 1648, oil on panel, 43.4 × 61.3 cm, inv.no 137
2 Paulus Potter *Self-portrait* (ca 1650/52), drawing, Stockholm, Nationalmuseum
3 Bartholomeus van der Helst *Posthumous portrait of Paulus Potter* 1654, oil on canvas, 99 × 80 cm, inv.no 54

1

Paulus Potter
Cows reflected in the water

No other artist has treated the subject of animals in his paintings as often as Paulus Potter; he drew, etched and painted them. Apart from the enormous *Bull*, the Mauritshuis also houses his *Cows reflected in the water*, which was painted on a more intimate scale. It has been said that Potter's great zest for work brought on his fatal illness (consumption). He was buried on the 17th of January 1654, at the early age of 28. His portrait was painted posthumously by Bartholomeus van der Helst. It was based on a *Self-portrait* drawing of Paulus Potter's.

2

3

Jan van Goyen
Gezicht over de Rijn naar de Eltense berg

Een markant punt in het grensgebied tussen Nederland en Duitsland bij Lobith is nog steeds de Eltense berg met de stiftskerk. Na de Vrede van Munster in 1648 kon weer naar hartelust worden gereisd langs de Rijn en vele kunstenaars deden dat ook. Jan van Goyen wist munt te slaan uit zijn reis. Hij maakte talrijke schetsen die hij later gebruikte in schilderijen en uitgewerkte tekeningen. Van dit *Gezicht over de Rijn naar de Eltense berg* bestaat een versie op een schetsboekblad uit 1650. In 1651 maakte hij daarvan een voor de verkoop bestemde gewassen tekening. In 1652 en 1653 maakte Van Goyen twee grote geschilderde varianten: de laatste is nu in het Mauritshuis.

1 Jan van Goyen *Gezicht over de Rijn naar de Eltense berg* 1653, schilderij op doek, 81 × 152 cm, inv.nr. 838
2 Jan van Goyen *Blad 30 uit het schetsboek van 1650*, tekening, Northampton, Mass., Smith College Museum of Art
3 Jan van Goyen *Gezicht over de Rijn naar de Eltense berg* 1651, tekening, Bremen, collectie K.E. Momm

1 Jan van Goyen *View of the Eltenberg from across the Rhine* 1653, oil on canvas, 81 × 152 cm, inv.no 838
2 Jan van Goyen *Sheet 30 from the sketchbook of 1650*, drawing, Northhampton, Mass., Smith College Museum of Art
3 Jan van Goyen *View of the Eltenberg from across the Rhine* 1651, drawing, Bremen, K.E. Momm Collection

1

Jan van Goyen
View of the Eltenberg from across the Rhine

The Eltenberg with the convent church remains one of the most striking spots in the region around Lobith where Holland and Germany border one another. After the Peace of Münster in 1648 people could, once again, travel freely along the Rhine and many artists took the opportunity of doing so. Jan van Goyen managed to make his journey profitable. He produced numerous sketches which he later worked up into paintings and elaborate drawings. There is a version of this *View of the Eltenberg from across the Rhine* in a sketchbook dated 1650. In 1651 Van Goyen used this sketch for a wash-drawing he intended to sell. In 1652 and 1653 he painted two larger versions. That of 1653 is now in the Mauritshuis.

2

3

Albert Eckhout
Twee Braziliaanse schildpadden

In 1636 werd Johan Maurits van Nassau Siegen gouverneur van Brazilië voor de West Indische Compagnie. In zijn gevolg bevonden zich wetenschapsmensen en kunstenaars. Aan de eersten danken wij het standaardwerk over de Braziliaanse flora en fauna, *Historia Naturalis Braziliae* (1648) en aan de laatsten boeiende beelden van mensen, dieren en landschappen. In een brief uit Pernambuco deed 'Maurits de Braziliaan' de groeten aan Jacob van Campen en aan al zijn overige vrienden ('a M. van Campen et tous mes amis'). Van Campen bouwde toen in Den Haag een woonhuis voor de prins, dat later het Mauritshuis werd genoemd.

1 Albert Eckhout *Twee Braziliaanse schildpadden* (ca. 1640), schilderij op papier, gemonteerd op paneel, 30,5 × 51 cm, inv.nr. 957
2 Slot van een brief van Johan Maurits uit Pernambuco
3 Frans Post *Het eiland Itamaraca* 1637, schilderij op doek, 63,5 × 88,5 cm, inv.nr. 915

1 Albert Eckhout *A pair of Brazilian tortoises* (ca 1640), oil on paper, mounted on panel, 30.5 × 51 cm, inv.no 957
2 Final words of a letter from Pernambuco written by Johan Maurits
3 Frans Post *The Isle of Itamaraca* 1637, oil on canvas, 63.5 × 88.5 cm, inv.no 915

1

Albert Eckhout
A pair of Brazilian tortoises

In 1636 the West India Company appointed Johan Maurits van Nassau Siegen Governor of Brazil. His retinue included scientists and artists. To the former we owe the standard book on Brazilian flora and fauna, *Historia Naturalis Braziliae* (1648) and to the latter the fascinating images of people, animals and landscapes. In a letter from Pernambuco 'Maurits the Brazilian' sends his regards to Jacob van Campen and all his other friends ('a M. van Campen et tous mes amis'). Van Campen was in The Hague at the time, building a residence for the Prince, which later came to be known as the Mauritshuis.

En gros tout va bien, Dieu mercy, & le couronnement du nouveau
Roy de Portugal nous promet encore mieux, ce que le bon Dieu vueille
en la protection duquel je vous recommande, demeurant

Monsieur

mes treshumble baisemains
a M. van Campen et tous
mes amis.

Vostre treshumble serviteur

J. Maurice Conte
de Nassau

Pernambouc le 8 Avril
1645.

2

3

Gerrit Berckheyde
Een jachtstoet bij de Hofvijver in Den Haag

Vijfenzestig jaar na het ontstaan van het schilderij van Pacx (p. 50) zag de overzijde van de Hofvijver vanaf het Buitenhof er heel anders uit. Het meest opvallende gebouw daar, het Mauritshuis, schilderde Gerrit Berckheyde oplichtend in de late namiddagzon. Vooraan rechts zijn twee bomen te zien, waar toen eigenlijk een huis stond. Berckheyde kon de gebouwen van het Binnenhof wel dromen, zo vaak had hij deze geschilderd. Maar de werkelijkheid was voor hem minder belangrijk dan de fraaie compositie met een vrolijke ruiterstoet en een beetje symboliek: vandaar de 'Haagse' ooievaar op de nok van de Gevangenpoort.

1

2

Gerrit Berckheyde
A hunting party near the Hofvijver in The Hague

65 Years after Pacx had painted the far side of the Hofvijver Lake from the Buitenhof (p. 50), the view had changed considerably. Gerrit Berckheyde painted the most prominent building, the Mauritshuis, lit up in the late afternoon sun. In the right foreground two trees can be seen where in actual fact there were none at the time; instead there was a house. Berckheyde had so often painted the buildings on the Binnenhof that he could easily do them from memory. But to him real appearances were less important than the quality of the composition with the bright and cheerful cavalcade and a touch of symbolism: hence the stork (symbol of The Hague) on the roof top of the Prisoner's Gate (Gevangenpoort).

1 Detail met de 'Haagse' ooievaar
2 Gerrit Berckheyde *Een jachtstoet bij de Hofvijver in Den Haag* (ca. 1690), schilderij op doek, 58 × 68 cm, inv.nr. 796
3 Gerrit Berckheyde *Gezicht van het Buitenhof op het Binnenhof* (ca. 1690), schilderij op doek, 53,7 × 63,3 cm, inv.nr. 690

1 Detail showing 'The Hague' stork
2 Gerrit Berckheyde *A hunting party near the Hofvijver in The Hague* (ca 1690), oil on canvas, 58 × 68 cm, inv.no 796
3 Gerrit Berckheyde *The Binnenhof seen from the Buitenhof* (ca 1690), oil on canvas, 53.7 × 63.3 cm, inv.no 690

3

Govaert Flinck
Een meisje bij een kinderstoel

In de zeventiende eeuw was de kindersterfte zeer hoog. Daarom draagt dit meisje met haar witte gesteven jurkje een zogenaamde rinkelbel aan een band met een bergkristal aan het uiteinde. Dat bood bescherming tegen ziekte en ongeluk. Govaert Flinck schilderde dit niet bij haar naam bekende meisje in 1640. Hij was een leerling van Rembrandt, wat de losse penseeltoetsen in de kinderstoel verklaart. De Rembrandtieke schildertrant is nog duidelijker waarneembaar in de achtergrond van een tweede kinderportret van Govaert Flinck uit 1640, dat David Leeuw voorstelt.

1

Govaert Flinck
A girl by a high chair

In the 17th century many children died young. It is for this reason that the little girl in her starched white dress wears a ribbon with a 'jingling bell' which contains a piece of rock crystal. These items were thought to offer protection against disease and misfortune. Govaert Flinck painted this little girl, whose name we do not know, in 1640. He was a pupil of Rembrandt, which may account for the sketchy brush strokes forming the high chair. The influence of Rembrandt becomes even more noticeable in the background of another child's portrait painted by Govaert Flinck in 1640, which represents David Leeuw.

1 Govaert Flinck *Een meisje bij een kinderstoel* 1640, schilderij op doek, 114,5 × 87,5 cm, inv.nr. 676
2 Govaert Flinck *Portret van David Leeuw* 1640, schilderij op doek, Birmingham, Barber Institute of Fine Arts

1 Govaert Flinck *A girl by a high chair* 1640, oil on canvas, 114.5 × 87.5 cm, inv.no 676
2 Govaert Flinck *Portrait of David Leeuw* 1640, oil on canvas, Birmingham, Barber Institute of Fine Arts

2

Nicolaes Berchem en Jan Baptist Weenix
De roeping van Matteüs

'Berchem gemaeck(t) Weenix (ge)daen' staat geschreven in het boek van Matteüs, die naar Christus opkijkt als hij wordt geroepen om hem te volgen als apostel. Het is niet gemakkelijk te onderscheiden wàt het aandeel was van Berchem en wàt dat van Weenix. Er zijn twee aanwijzingen: de man in het midden met lang zwart haar en een rode mantel vertoont overeenkomst met een getekend portret van Berchem. Het liggend vee links komt precies zó voor in een schilderij van Weenix. Kennelijk heeft Weenix het schilderij – van achteren naar voren schilderend – opgezet en heeft Berchem het afgemaakt met de figuren rond Christus.

1 Nicolaes Berchem en Jan Baptist Weenix *De roeping van Matteüs* (ca. 1657/60), schilderij op paneel, 94,2 × 116 cm, inv.nr. 1058
2 Jan Baptist Weenix *Een landschap met herders* (ca. 1657), schilderij op doek, verblijfplaats onbekend
3 Anoniem naar Berchem *Portret van Nicolaes Berchem* (ca. 1650/60), tekening, Amsterdam, Rijksprentenkabinet

1 Nicolaes Berchem and Jan Baptist Weenix *The calling of Matthew* (ca 1657/60), oil on panel, 94.2 × 116 cm, inv.no 1058
2 Jan Baptist Weenix *A landscape with shepherds* (ca 1657), oil on canvas, present whereabouts unknown
3 Anonymous after Berchem *Portrait of Nicolaes Berchem* (ca 1650/60), drawing, Amsterdam, Rijksprentenkabinet

1

Nicolaes Berchem and Jan Baptist Weenix
The calling of Matthew

'Berchem gemaeck(t) Weenix (ge)daen' (made by Berchem, done by Weenix) is the inscription in the book Matthew is holding on his lap as he looks up at Christ who calls him to follow. It is not easy to distinguish Berchem's hand from that of Weenix. The painting gives us two clues: the man in the middle with the long black hair and a red cloak bears a likeness to a portrait depicting Berchem. The cattle lying to the left recur in exactly the same way in a painting by Weenix. It seems that Weenix began the picture – painting the background first – and that Berchem finished it by adding the figures around Christ.

2

3

Jacob Backer
'Zelfportret' als herder

Volgens een hardnekkig misverstand is Jacob Backer een leerling van Rembrandt geweest. Toen Backer in 1633 in Amsterdam kwam werken als zelfstandig schilder, zal Rembrandt eerder diens coloristische kwaliteiten en losse toets bewonderd hebben, dan omgekeerd. Backers stijl was Vlaams, de keuze van zijn onderwerp was geïnspireerd op voorbeelden van de Utrechtse Caravaggisten. Het schilderij *De fluitspelende herder* van Dirck van Baburen (dat hij kende van de prent ernaar) gaat op zijn beurt terug op Italiaanse voorbeelden. Hij diende zichzelf tot model voor de uitbeelding van een 'tronie' in een pastorale uitmonstering. Vandaar dat dit schilderij geen *Zelfportret* kan zijn in de gebruikelijke betekenis.

1 Jacob Backer *'Zelfportret' als herder* (ca. 1635), schilderij op paneel, 51 × 39,5 cm, inv.nr. 1057
2 Jacob Backer *Zelfportret* 1638, tekening, Wenen, Albertina
3 Cornelis Bloemaert naar Dirck van Baburen *Fluitspelende herder* 1625, gravure

1 Jacob Backer *'Self-portrait' as a shepherd* (ca 1635), oil on panel, 51 × 39.5 cm, inv.no 1057
2 Jacob Backer *Self-portrait* 1638, drawing, Vienna, Albertina
3 Cornelis Bloemaert after Dirck van Baburen *A shepherd playing the flute* 1625, engraving

1

Jacob Backer
'Self-portrait' as a shepherd

According to a common misconception Jacob Backer was a pupil of Rembrandt. When Backer went to work in Amsterdam in 1633 as an independent painter, it would more likely have been the other way around: Rembrandt would have admired him for his use of colour and free technique with the brush. Backer's style was Flemish, the choice of his subjects was based on examples by the Caravaggisti painters in Utrecht. *A shepherd playing the flute* by Dirck van Baburen (which Backer would have known from a print) goes back to original Italian examples. Backer served as his own model for this 'head' (Dutch: 'tronie') in a pastoral outfit. Hence the painting cannot be a self-portrait in the conventional sense.

2

3

Ferdinand Bol
Portret van Louis Trip jr.

De familie Trip was rijk geworden in de internationale ijzer- en wapenhandel. In 1660-62 lieten zij het befaamde Trippenhuis in Amsterdam bouwen, met schoorstenen in de vorm van kanonslopen. Rembrandt en zijn leerlingen hebben vele leden van deze machtige regentenfamilie mogen portretteren. In 1652 schilderde Ferdinand Bol Louis Trip jr. op veertienjarige leeftijd: de jongeman zou niet ouder dan zeventien jaar worden. Zijn elegante en nonchalante pose is ontleend aan een formule die Van Dyck ontwikkeld had voor portretten van de Engelse aristocratie.

1 Ferdinand Bol *Portret van Louis Trip jr.* 1652, schilderij op doek, 128 × 99 cm, inv.nr. 795
2 Anthonie van Dyck *Zelfportret* (ca. 1620), schilderij op doek, Leningrad, Hermitage
3 Rembrandt *Portret van Maria Trip* 1639, schilderij op paneel, Amsterdam, Rijksmuseum

1 Ferdinand Bol *Portrait of Louis Trip the Younger* 1652, oil on canvas, 128 × 99 cm, inv.no 795
2 Anthony van Dyck *Self-portrait* (ca 1620), oil on canvas, Leningrad, Hermitage
3 Rembrandt *Portrait of Maria Trip* 1639, oil on panel, Amsterdam, Rijksmuseum

1

Ferdinand Bol
Portrait of Louis Trip the Younger

The Trip family became rich in the international steel and arms trade. In 1660-62 they had a house built in Amsterdam, the famous Trippenhuis, with chimneys in the shape of gun barrels. Rembrandt and his pupils portrayed many members of this patrician family. In 1652 Ferdinand Bol painted Louis Trip the Younger at the age of 14; the young man only lived to be 17. His elegant and casual pose goes back to a formula which Van Dyck had developed for his portraits of the English aristocracy.

2

3

Pieter Post
Duinlandschap met een hooischelf

Pieter Post bouwde samen met Jacob van Campen tussen 1633 en 1644 het Mauritshuis. Als architect kregen ze een grote naam, Post onder andere door zijn stadhuis van Maastricht (1659-64) en Van Campen natuurlijk door zijn stadhuis van Amsterdam (het *Paleis op de Dam*, 1648-54). Minder bekend is dat beiden aanvankelijk schilder waren. Van Post zijn enkele opmerkelijke landschappen bewaard gebleven met een levendige stoffage. Mogelijk eveneens vóór 1633 schilderde zijn vriend Van Campen *Mercurius, Argus en Io* in Caravaggistische trant. Het formaat komt overeen met dat van de ruimten voor schoorsteenstukken die Pieter Post ontworpen had voor het Mauritshuis. Na een brand in 1704 is het oorspronkelijke interieur helaas verloren gegaan.

1 Pieter Post *Duinlandschap met een hooischelf* 163(3?), schilderij op paneel, 53,3 × 79,5 cm, inv.nr. 970
2 Pieter Post *Het stadhuis van Maastricht* (1659-64)
3 Jacob van Campen *Mercurius, Argus en Io* (1630/40), schilderij op doek, 204 × 194 cm, inv.nr. 1062
4 Jacob van Campen *Het stadhuis van Amsterdam* (1648-54)

1 Pieter Post *Dune landscape with a hay shelter* 163(3?), oil on panel, 53.3 × 79.5 cm, inv.no 970
2 Pieter Post *The Town Hall of Maastricht* (1659-64)
3 Jacob van Campen *Mercury, Argus and Io* (1630/40), oil on canvas, 204 × 194 cm, inv.no 1062
4 Jacob van Campen *The Town Hall of Amsterdam* (1648-54)

1

2

Pieter Post
Dune landscape with a hay shelter

Between 1633 and 1644 Pieter Post and Jacob van Campen were working (jointly) on the Mauritshuis. Both were men who were to acquire distinguished reputations as architects, Post mainly due to his Town Hall in Maastricht (1659-64) and Van Campen, of course, due to his Amsterdam Town Hall (the *Dam Palace*, 1648-54). The fact that both men started off as painters is less well-known. A small number of Post's striking landscapes with lively staffage have come down to us. It is also possible that his friend Van Campen had painted *Mercury, Argus and Io* in the style of the Caravaggisti before 1633. The format corresponds with that of the mantel-pieces which Pieter Post had designed for the Mauritshuis.

3

4

Caesar van Everdingen
Diogenes zoekt een oprecht mens

Volgens het verhaal uit de oudheid was Diogenes een sober en deugdzaam mens. Links op dit tafereel wordt zijn dagelijkse kost, rapen, in een kruiwagen aangevoerd. Zelf zit hij in een ton en vraagt als gunst aan Alexander de Grote: 'ga uit mijn zon'. Midden voor is de cynische filosoof op klaarlichte dag met een lamp op zoek naar een oprecht mens. De markt is merkwaardig genoeg niet die van Athene waar het verhaal zich zou hebben afgespeeld, maar lijkt meer op die van Haarlem met de Sint Bavo. Onder de Haarlemse burgers zijn enkelen zelfs geïdentificeerd als in 1652 levende leden uit de (regenten)familie Steyn, compleet met al overleden voorouders in zestiende-eeuwse kostuums. Hoe dan ook wordt hen en ons een deugdzaam leven ten voorbeeld gesteld.

1 Caesar van Everdingen *Diogenes zoekt een oprecht mens* 1652, schilderij op doek, 76 × 103,5 cm, inv.nr. 39
2 Detail met Alexander bij de ton van Diogenes
3 Detail met de voorouders van de familie Steyn

1 Caesar van Everdingen *Diogenes looking for an honest man* 1652, oil on canvas, 76 × 103.5 cm, inv.no 39
2 Detail showing Alexander standing by Diogenes' barrel
3 Detail showing the ancestors of the Steyn family

1

Caesar van Everdingen
Diogenes looking for an honest man

According to the ancient writers Diogenes was an austere and virtuous man. To the left of this scene his daily food, turnips, is brought to him in a wheelbarrow. Diogenes himself is sitting in a barrel and asks Alexander the Great by way of a favour: 'move out of my light'. In the centre foreground the cynical philosopher is engaged in his search for an honest man, holding a lantern despite the broad daylight. The market-place is curiously enough not that of Athens where the story is said to have taken place, but rather resembles that of Haarlem with St Bavo's Church. Among the citizens of Haarlem depicted here, some have in fact been identified as members of the Steyn family (a patrician family) then living in the city; their ancestors are represented as well – in 16th-century costume. One thing is clear: that Diogenes' life is being held up as an example both to the Steyn family and to the viewer.

2

3

Gabriel Metsu
Een dame die muziek schrijft

Metsu's fabelachtige schildertechiek leidt makkelijk de aandacht af van het verhaal dat hij óók wil vertellen. Bij de klanken van een luit schrijft een dame muziek, terwijl een man nieuwsgierig (en wellicht hoopvol) over haar schouder probeert te kijken. Het snareninstrument duidt op de harmonie tussen man en vrouw of juist het ontbreken ervan, zoals in het onderschrift bij een tweetal prenten van Abraham Bosse:
Mooie Kloris, wat nu gedaan
Om mijn stem met de jouwe overeen te laten stemmen?
Als mijn ziel en die van jou
Niet dezelfde muziek willen maken?

1

Gabriel Metsu
A woman composing music

Metsu's outstanding technical ability can easily distract one from the actual content of his work. The woman is engaged in composing music while listening to a lute. A man tries inquisitively (and perhaps hoping for something) to look over her shoulder. The stringed instrument refers to harmony – or perhaps the very lack of it – between man and woman. The caption on a pair of prints by Abraham Bosse summarizes the idea:
Handsome Kloris, what could we do
To bring my voice in tune with yours,
If my soul and yours
Do not wish to make the same music?

1 Gabriël Metsu *Een dame die muziek schrijft* (ca. 1660), schilderij op paneel, 57,5 × 43,5 cm, inv.nr. 94
2 Abraham Bosse *Gitaarspelende man* en *Zingende vrouw* (ca. 1640), gravures

1 Gabriel Metsu *A woman composing music* (ca 1660), oil on panel, 57.5 × 43.5 cm, inv.no 94
2 Abraham Bosse *Man playing the guitar* and *Singing woman* (ca 1640), engravings

2

Willem van Mieris
Rinaldo en Armida

Rinaldo en Armida van Willem van Mieris uit 1709 stelt een episode voor uit het epische gedicht *Gerusalemme liberata* van Torquato Tasso (1581), dat bijzonder populair was in hofkringen en dus stof leverde voor de decoraties van paleizen. Het verhaal is een soort *Odyssee*, gesitueerd in de tijd van de kruisvaarders. Hier is uitgebeeld hoe Armida, die verliefd werd op Rinaldo, de slapende jongeman niet doorsteekt maar hem bindt met een bloemenkrans alvorens hem mee te voeren. Putto's spelen met zijn wapens. Het destijds beroemde schilderij was gemaakt op verzoek van een Leidse verzamelaar als vervanger van een eerder exemplaar uit 1706 van dezelfde Willem van Mieris. Dit stuk had hij namelijk na lang aandringen voor veel geld aan een liefhebber verkocht. Een getekende voorstudie voor het vroegste exemplaar laat zien dat hij daarop veel minder figuren had geschilderd.

1

Willem van Mieris
Rinaldo and Armida

Willem van Mieris's *Rinaldo and Armida* of 1709 shows an episode from the epic poem *Gerusalemme liberata* by Torquato Tasso (1581), which was very popular in court circles and was consequently a regular source of subject-matter for palace decorations. The story is a kind of *Odyssey*, set in the age of the crusaders. In this picture we see how Armida, who fell in love with Rinaldo, decides not to stab the young man but instead fetters him with a garland before leading him away. There are cherubs toying with his weapons. The painting was very well-known at the time and was made at the request of a collector from Leiden in order to replace an earlier version of 1706 by the same Willem van Mieris. This collector, after repeated requests, sold the original to an enthusiastic buyer for a very large sum of money. A preliminary drawing for the earlier version shows that there were originally far fewer figures.

1 Willem van Mieris *Rinaldo en Armida* 1709, schilderij op paneel, 67 × 85 cm, inv.nr. 1071
2 Willem van Mieris *Rinaldo en Armida* 1706, tekening, Wenen, Albertina

1 Willem van Mieris *Rinaldo and Armida* 1709, oil on canvas, 67 × 85 cm, inv.no 1071
2 Willem van Mieris *Rinaldo and Armida* 1706, drawing, Vienna, Albertina

2

Rembrandt
'Zelfportret' met een gepluimde muts

In de zeventiende eeuw wist men nog vrij goed onderscheid te maken tussen portretten en 'tronies'. Portretten stelden een persoon voor, 'tronies' een type. Ook als men wist dat de schilder zelf of zijn moeder model hadden gestaan, noemde men zo'n schilderij dan een Turkse prins, een soldaat of een oosterse vrouw. Zo'n schilderij was half portret, half historiestuk. In een *'Zelfportret'* uit omstreeks 1629 tooide Rembrandt zich als een soldaat met een halsberg. Volgens sommigen vermomde hij zich in een ongeveer zes jaar later ontstaan *'Zelfportret' met een gepluimde muts* als een figuur uit de 'commedia dell'arte', namelijk 'Capitano'. Een hoed met pluimen kon ook vanitasgedachten oproepen, zoals in een *'Zelfportret'* door Lucas van Leyden. Men zou zich dus kunnen afvragen of Rembrandt hier de ijdeltuit speelt of de IJdelheid uitbeeldt.

1 Rembrandt *'Zelfportret' met een gepluimde muts* (ca. 1635), schilderij op paneel, 62,9 × 46,8 cm, inv.nr. 149
2 Lucas van Leyden *'Zelfportret' met een doodskop* (ca. 1519), gravure
3 Rembrandt *'Zelfportret' met een halsberg* (ca. 1629), schilderij op paneel, 37,7 × 28,9 cm, inv.nr. 148

1 Rembrandt *'Self-portrait' with a feathered cap* (ca 1635), oil on panel, 62.9 × 46.8 cm, inv.no 149
2 Lucas van Leyden *'Self-portrait' with a skull* (ca 1519), engraving
3 Rembrandt *'Self-portrait' wearing armour* (ca 1629), oil on panel, 37.7 × 28.9 cm, inv.no 148

1

Rembrandt
'Self-portrait' with a feathered cap

In the 17th century a distinction was commonly made between portraits and 'heads' (Dutch: 'tronies'). A portrait would represent an individual, a 'head' a type. Even if such a picture represented the image of the artist himself or his mother, it would be referred to as a Turkish prince, a soldier or an oriental woman. In fact these paintings were half portraits, half historical pieces. In a *'Self-portrait'* of ca 1629 Rembrandt depicted himself as a soldier wearing armour. In his *'Self-portrait' with a feathered cap*, which was painted roughly six years later, he has dressed himself, according to some, as 'Capitano', a character from the 'commedia dell'arte'. A feathered cap could also allude to 'vanitas' thoughts, as is the case in a *'Self-portrait'* by Lucas van Leyden. The question thus remains whether, in this case, Rembrandt is posing as a dandy or actually symbolizing Vanity.

3

Hendrick ter Brugghen
De bevrijding van Petrus

In de achttiende eeuw werd het schilderij *De bevrijding van Petrus* bewonderd als een werk van de Italiaan Guido Reni. Dit blijkt uit een onderschrift bij een prent van J.M. Preisler, die werd gemaakt toen het schilderij zich in een Deense collectie bevond. Een restauratie van het doek bracht de signatuur van de Utrechtse Caravaggist Hendrick ter Brugghen aan het licht en het jaartal (16)24. Aan Caravaggio ontleende hij de theatrale belichting en de realistische mimiek. De warrige haardos van Petrus, zijn tandeloze mond en de verdwaasd kijkende ogen zijn haast overdreven realistisch. Een fraai contrast vormen ook de mollige bleke handen van de engel naast de stramme vissershanden van de apostel.

1

Hendrick ter Brugghen
The Deliverance of St Peter

During the 18th century *The Deliverance of St Peter* was admired as a work by the Italian master Guido Reni. We know this from the inscription on a print by J.M. Preisler which was made after the painting when it was in a Danish collection. Restoration of the canvas has revealed the signature of Hendrick ter Brugghen, a follower of Caravaggio from the Utrecht school, and the date (16)24. The theatrical illumination and histrionic expressions show the influence of Caravaggio. St Peter's untidy hair, his toothless mouth and dazed stare are almost too real. Also notice the pointed contrast between the angel's pale chubby hands and the apostle's weathered fisherman's hands.

1 Hendrick ter Brugghen *De bevrijding van Petrus* 1624, schilderij op doek, 105 × 85 cm, inv.nr. 966
2 J.M. Preisler *De bevrijding van Petrus* 1778, gravure

1 Hendrick ter Brugghen *The Deliverance of St Peter* 1624, oil on canvas, 105 × 85 cm, inv.no 966
2 J.M. Preisler *The Deliverance of St Peter* 1778, engraving

2

Rembrandt
Suzanna en de ouderlingen

Rembrandt legde in dit schilderij de nadruk op de beschroomde houding van Susanna. Van de ouderlingen die haar besluipen, is één tronie rechts in de struiken te zien. De basis voor de compositie is een schilderij van Rembrandts leermeester Lastman, waarnaar hij een tekening had gemaakt. De gebaren van Lastmans Suzanna wijzigde hij drastisch. In plaats van verrassing beeldde hij schaamte uit. Al dan niet opzettelijk is er overeenkomst met de bekende kuise gebaren van de antieke *Venus pudica*.

1 Rembrandt *Suzanna en de ouderlingen* 1636, schilderij op paneel, 47,2 × 38,6 cm, inv.nr. 147
2 Rembrandt *Suzanna en de ouderlingen naar Lastman* (ca. 1635), tekening, Berlijn, Kupferstichkabinett
3 Romeinse kopie naar een Grieks origineel *Venus Pudica* (4de eeuw v. Chr.), marmer, Rome, Museo Capitolino

1 Rembrandt *Susanna and the elders* 1636, oil on panel, 47.2 × 38.6 cm, inv.no 147
2 Rembrandt *Susanna and the elders after Lastman* (ca 1635), drawing, Berlin, Kupferstichkabinett
3 Roman copy after a Greek original of *Venus Pudica* (4th century BC), marble, Rome, Museo Capitolino

1

Rembrandt
Susanna and the elders

Rembrandt has emphasized Susanna's bashful pose in this painting. All we see of the elders stealing upon her is a single head in the shrubbery to the right. The composition goes back to a painting by his teacher Lastman, after which Rembrandt had made a drawing. Rembrandt drastically changed the gestures of Lastman's Susanna. Instead of surprise the picture conveys her sense of shame. Either by chance or on purpose there is a parallel with the familiar gestures of the antique statue of *Venus Pudica*.

2

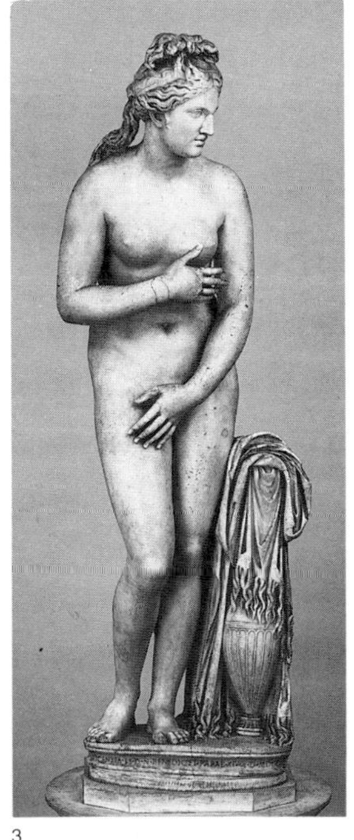

3

Rembrandt
Het loflied van Simeon

Rembrandts schilderij *Het loflied van Simeon* hangt nu weer naast Gerard Dou's paneel *De jonge moeder*, zij het niet precies in de opstelling die gearrangeerd was in het schilderijenkabinet van Anna van Hannover op paleis Het Loo. Toen flankeerden beide panelen *De verkondiging aan de herders* van Cornelis van Poelenburch, alsof er sprake was van een drieluik. De gemeenschappelijke thematiek was de geboorte en het jonge leven. Wellicht had Willem IV in 1733 Rembrandts schilderij gekocht voor zijn bruid uitsluitend vanwege het onderwerp en de fijne schildertrant, niet zozeer omdat hij zich bewust was dat dit schilderij de apotheose was van Rembrandts Leidse periode.

1 Rembrandt *Het loflied van Simeon* 1631, schilderij op paneel, 61 × 48 cm, inv. nr. 145
2 Cornelis van Poelenburch *De verkondiging aan de herders* (ca. 1640/50), schilderij op paneel, Gray, Musée Baron Martin
3 Gerard Dou *De jonge moeder* 1658, schilderij op paneel, 73,5 × 55,5 cm, inv.nr. 32

1 Rembrandt *Simeon's song of praise* 1631, oil on panel, 61 × 48 cm, inv.no 145
2 Cornelis van Poelenburch *The angel appearing to the shepherds* (ca 1640/50), oil on panel, Gray, Musée Baron Martin
3 Gerard Dou *The young mother* 1658, oil on panel, 73.5 × 55.5 cm, inv.no 32

1

Rembrandt
Simeon's song of praise

Rembrandt's painting *Simeon's song of praise* once again hangs next to Gerard Dou's *Young mother* as a companion piece. The present arrangement of the pictures, however, differs somewhat from the way it used to be in Anne of Hannover's palace Het Loo. The two panels were then hanging on either side of *The angel appearing to the shepherds* by Cornelis van Poelenburch, as if the three formed a triptych. The theme they had in common was that of birth and young life. It is possible that when Willem IV bought the painting for his wife in 1733, he did so mainly on account of its subject and exquisite execution, and not because he realized that this picture was the apotheosis of Rembrandt's Leiden period.

2

3

Rembrandt
De anatomische les van Dr. Nicolaes Tulp

In 1632 liet de medicus Dr. Nicolaes Tulp zich portretteren in zijn functie van *praelector anatomiae* van het Amsterdamse Chirurgijnsgilde. Zeven gildebroeders betaalden mee aan het groepsportret. Jacob Colevelt besloot kennelijk pas laat om mee te doen, zodat Rembrandt hem links moest plaatsen, een beetje buiten de groep. De *praelector* Tulp (de enige met een hoed) neemt bijna de helft van het beeld in beslag. Drie handen vormen het centrum van de compositie: die van het lijk, de rechterhand van Tulp die de sectie verricht en zijn demonstrerende linkerhand waarmee hij zijn betoog onderstreept: 'Mens, ken u zelve'. Als volleerd historieschilder wist Rembrandt hoe hij van zo'n opdracht méér kon maken dan acht figuren op een rijtje.

1 Rembrandt *De anatomische les van Dr. Nicolaes Tulp* 1632, schilderij op doek, 169,5 × 216 cm, inv. nr. 146
2 Detail met de handen van Dr. Tulp
3 Illustratie uit: J. Steengracht van Oostkapelle, *Les principaux tableaux du musée royal* (Den Haag 1826-1830)
1 Nicolaes Pietersz Tulp
2 Jacob Dielofse Block
3 Hartman Hartmansz
4 Adriaen Cornelisz Slabberaen
5 Jacob Jansz de Wit
6 Matthijs Evertsz Calkoen
7 Jacob Jansz Colevelt
8 Frans van Loenen en Aris Adriaensz, alias Aris Kindt (het lijk)

1 Rembrandt *Dr. Nicolaes Tulp giving an anatomy lesson* 1632, oil on canvas, 169.5 × 216 cm, inv.no 146
2 Detail showing Dr. Tulp's hands
3 Illustration from: J. Steengracht van Oostkapelle, *Les principaux tableaux du musée royal* (Den Haag 1826-1830)
1 Nicolaes Pietersz Tulp
2 Jacob Dielofse Block
3 Hartman Hartmansz
4 Adriaen Cornelisz Slabberaen
5 Jacob Jansz de Wit
6 Matthijs Evertsz Calkoen
7 Jacob Jansz Colevelt
8 Frans van Loenen en Aris Adriaensz, alias Aris Kindt (the corpse)

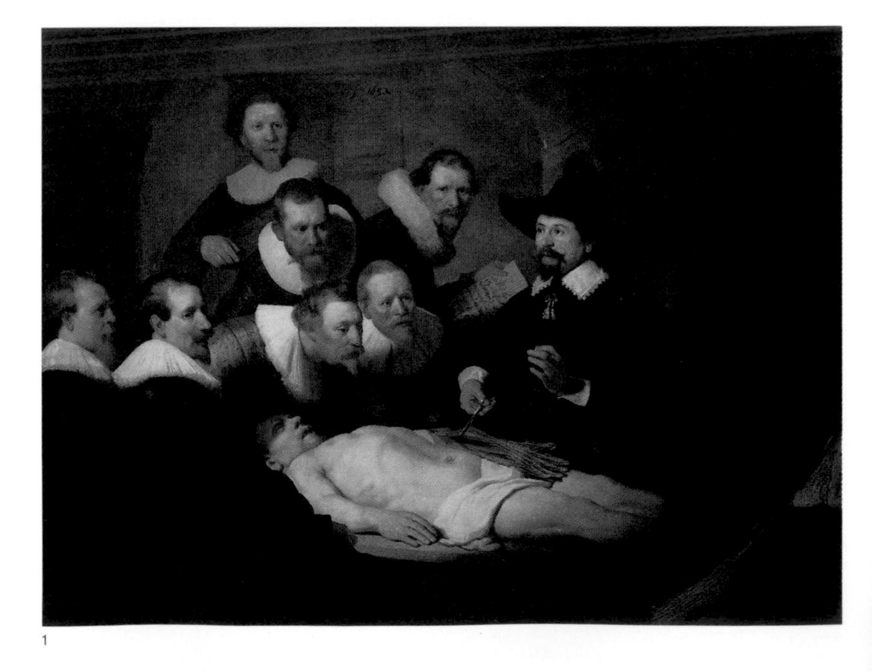

1

Rembrandt
Dr. Nicolaes Tulp giving an anatomy lesson

In 1632 Dr. Nicolaes Tulp, the physician, had his portrait painted in his capacity of *praelector anatomiae* of the Amsterdam Surgeons' Guild. Seven of his guildsmen shared in the costs of the group portrait. Apparently Jacob Colevelt did not decide to join until later, so that Rembrandt had to place him at the extreme left, somewhat apart from the rest of the group. Tulp, the *praelector* (the only one wearing a hat) fills almost half of the space in the picture. Three hands form the centre of the composition: one belongs to the corpse, the other two to Tulp; his right hand conducting the examination and his left hand raised demonstratively to underline his argument: 'Man, know thouself'. An expert in history painting, Rembrandt knew how to turn such a commission into more than just eight figures standing stiffly in a row.

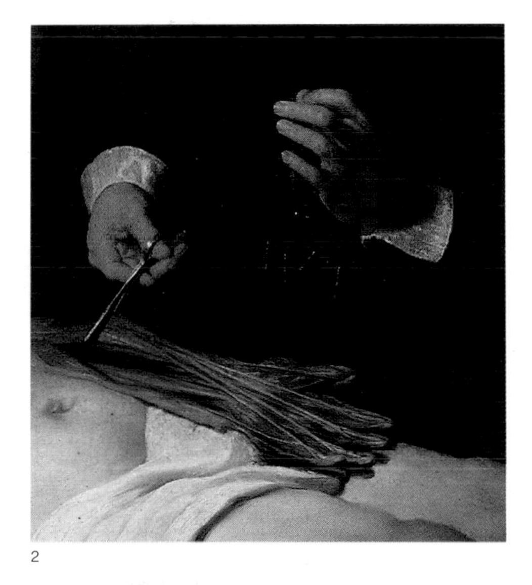

2

3

Rembrandt
Twee moren

In 1656 werd in een inventaris van Rembrandts collectie beschreven: 'Twee mooren in een stuck van Rembrant'. Klaarblijkelijk is de datering 1661 hier een latere toevoeging. De schilder had grote belangstelling voor alles wat buiten zijn horizon lag. Hij verzamelde exotische voorwerpen, kopiëerde Indische miniaturen en introduceerde in de schilderkunst 'tronies' in oosterse vermommingen. Moskovieten, Perzen of Moren waren destijds geen ongebruikelijk gezicht in Amsterdam. Moren komen voor in Rembrandts bijbelstukken, zelfs al in een van zijn allereerste schilderijen, *De doop van de kamerling* uit 1626. Misschien heeft hij de gekostumeerde negers in *Twee moren* gezien tijdens een optocht of op het toneel. Zijn schilderij wordt vaak vergeleken met *Vier studies van een neger* door Rubens (of Van Dyck?).

1 Rembrandt *Twee moren* 1661, schilderij op doek, 77,8 × 64,4 cm, inv.nr. 685
2 Rembrandt *De doop van de kamerling* 1626, schilderij op paneel, Utrecht, Rijksmuseum Het Catharijneconvent
3 Peter Paul Rubens (of Anthonie van Dyck?) *Vier studies van een neger* (ca. 1613/15), schilderij op doek, gemonteerd op paneel, Brussel, Koninklijk Museum voor Schone Kunsten

1 Rembrandt *Two moors* 1661, oil on canvas, 77.8 × 64.4 cm, inv.no 685
2 Rembrandt *The Baptism of the eunuch* 1626, oil on panel, Utrecht, Rijksmuseum Het Catharijneconvent
3 Peter Paul Rubens (or Anthony van Dyck?) *Four studies of a negro* (ca 1613/15), oil on canvas, mounted on panel, Brussels, Musée Royal des Beaux-Arts

1

Rembrandt
Two moors

The following inscription appears in an inventory of Rembrandt's collection of 1656: 'Two moors in a piece by Rembrandt'. The date 1661 was apparently added to the picture later. The artist took a great interest in everything he came across. He collected exotic objects, copied Indian miniatures and was the first to represent 'heads' (Dutch: 'tronies') in oriental costume. At the time, Muscovites, Persians and Moors were a common sight in Amsterdam. Moors appear in Rembrandt's biblical scenes; in fact they can be found in one of his very first paintings, *The Baptism of the eunuch* of 1626. Possibly he saw the negroes featuring in *Two moors*, dressed up for a procession or on the stage. His painting has often been compared with Rubens's (or Van Dyck's?) *Four studies of a negro*.

2

3

Rembrandt
Homerus dicteert zijn verzen

Dit schilderij is het restant van een doek dat grotendeels is verbrand. De belangrijkste figuur bleef echter gespaard: Homerus, de blinde Griekse dichter. Hij heft zijn hand in een declamerend gebaar. Hij dicteert zijn verzen aan een schrijver, wiens papier, twee vingers met een pen en een stuk inktkoker nog juist zichtbaar zijn in de rechter onderhoek. Een tekening van Rembrandt toont een variant op het oorspronkelijke idee voor de compositie. Het schilderij was bestemd voor een Italiaanse mecenas van de schilder, Don Antonio Ruffo uit Messina. Ruffo had al een *Aristoteles* van Rembrandt, die met de *Homerus* en een *Alexander* een soort drieluik vormden: Homerus is de personificatie van de poëzie, Aristoteles van de filosofie en Alexander van het actieve leven.

1 Rembrandt *Homerus dicteert zijn verzen* 1663, schilderij op doek, 108 × 82,3 cm, inv.nr. 584
2 Rembrandt *Homerus dicteert zijn verzen aan een schrijver* (ca. 1660), tekening, Stockholm, Nationalmuseum
3 Rembrandt *Aristoteles met de buste van Homerus* 1653, schilderij op doek, New York, The Metropolitan Museum of Art
4 Rembrandt *Alexander de Grote* (ca. 1660), schilderij op doek, Lissabon, Museu Calouste Gulbenkian

1 Rembrandt *Homer dictating his verse to a scribe* 1663, oil on canvas, 108 × 82.3 cm, inv.no 584
2 Rembrandt *Homer dictating his verse to a scribe* (ca 1660), drawing, Stockholm, Nationalmuseum
3 Rembrandt *Aristotle with a bust of Homer* 1653, oil on canvas, New York, The Metropolitan Museum of Art
4 Rembrandt *Alexander the Great* (ca 1660), oil on canvas, Lisbon, Museu Calouste Gulbenkian

1

Rembrandt
Homer dictating his verse to a scribe

This painting is all that remains of a canvas which was almost completely destroyed in a fire. The principal figure, however, was preserved: Homer, the blind Greek poet. He raises his hand in declamation while dictating his verses to a scribe whose two fingers holding a pen, and part of an inkwell are just visible in the bottom right-hand corner of the canvas. A drawing by Rembrandt shows us a variant of the original composition plan. The painting was destined for one of the artist's Italian patrons, Don Antonio Ruffo from Messina. Ruffo had already acquired an *Aristotle* by Rembrandt, which together with this picture of *Homer* and one of *Alexander* formed a kind of triptych: Homer personifying poetry, Aristotle philosophy and Alexander the active life.

2

3

4

Rembrandt
Zelfportret

Het feit dat dit *Zelfportret* door Rembrandt geschilderd werd in zijn laatste levensjaar heeft veel schrijvers ontroerd. Volgens sommigen maakt hij een vermoeide en uitgebluste indruk. Rembrandt is echter in de jaren vóór zijn dood net zo actief geweest als in zijn vroegste periode in Amsterdam. In 1669 ontstonden nog twee zelfportretten, die zich nu in Londen en in Keulen bevinden. In het laatste beeldde hij zich af als de Griekse schilder Zeuxis die zich letterlijk dood lachte bij het portretteren van een gerimpelde, oude vrouw. Dit getuigt eerder van een cynische vitaliteit dan van levensmoeheid.

1 Rembrandt *Zelfportret* 1669, schilderij op doek, 63,5 × 57,8 cm, inv.nr. 840
2 Rembrandt *Zelfportret* 1669, schilderij op doek, Londen, National Gallery
3 Rembrandt *Zelfportret als de lachende Zeuxis* (ca. 1669), schilderij op doek, Keulen, Wallraf-Richartz-Museum

1 Rembrandt *Self-portrait* 1669, oil on canvas, 63.5 × 57.8 cm, inv.no 840
2 Rembrandt *Self-portrait* 1669, oil on canvas, London, National Gallery
3 Rembrandt *Self-portrait as the laughing Zeuxis* (ca 1669), oil on canvas, Cologne, Wallraf-Richartz-Museum

1

Rembrandt
Self-portrait

Many writers have been impressed by the fact that Rembrandt painted this *Self-portrait* in the last year of his life. According to some, he looks tired and down-trodden. We know, however, that Rembrandt was actually just as active in the years immediately preceding his death as during his earliest period in Amsterdam. There are two further *Self-portraits* dating from 1669, now in London and Cologne. In the Cologne painting he has depicted himself as the Greek painter Zeuxis who literally laughed himself to death while painting the portrait of a wrinkled old woman. This is evidence more of dogged vitality than of weariness with life.

2

3

Jacob van Ruisdael
Gezicht op Haarlem met de bleekvelden

Haarlem was vanaf de duinen schilderachtig gelegen door de machtige romp van de Sint Bavo met de karakteristieke middentoren die hoog boven de huizen uitrees. Een 'Haerlempje' herkende men met één oogopslag. Jacob van Ruisdael schilderde er een hele reeks van. We krijgen hier een beeld van de linnenindustrie buiten de stad. De gewassen stroken stof werden gedroogd, geloogd en op de grasvelden te bleken gelegd. Hoewel hij voorstudies tekende vanaf de duinen, hechtte Ruisdael bij de uitvoering in olieverf meer aan het krachtige effect van het 'vogelvluchtpanorama' en de dramatische belichting, dan aan de exacte weergave van de werkelijkheid. De lucht is een machtige symfonie van wolkenformaties tegen de strakblauwe hemel.

1 Jacob van Ruisdael *Gezicht op Haarlem met de bleekvelden* (ca. 1670/75), schilderij op doek, 55,5 × 62 cm, inv.nr. 155
2 Jacob van Ruisdael *Gezicht op Haarlem* (ca. 1670/75), tekening, Den Haag, Museum Bredius
3 Anoniem *Gezicht op Haarlem* 1596, houtsnede

1 Jacob van Ruisdael *View of Haarlem with the bleaching fields* (ca 1670/75), oil on canvas, 55.5 × 62 cm, inv.no 155
2 Jacob van Ruisdael *View of Haarlem* (ca 1670/75), drawing, The Hague, Museum Bredius
3 Anonymous *View of Haarlem* 1596, woodcut

1

Jacob van Ruisdael
View of Haarlem with the bleaching fields

Haarlem as seen from the dunes presented a picturesque sight with the splendid bulk of St Bavo's and its distinctive central tower which rises high above the houses. A 'Haerlempje' (view of Haarlem) one can recognize at a glance. Jacob van Ruisdael painted a whole series of them. We are offered here a glimpse of the linen industry outside the city. The washed bands of cloth are dried, treated with lye and then spread out on the lawns to bleach. Ruisdael had studied the view when making drawings from the dunes; yet when it came to rendering this scene in oil he was more interested in creating a striking birds-eye-view effect by means of dramatic lighting, than in representing exactly what he saw. The air is a bold symphony of cloud banks set off against a sheer blue sky.

2

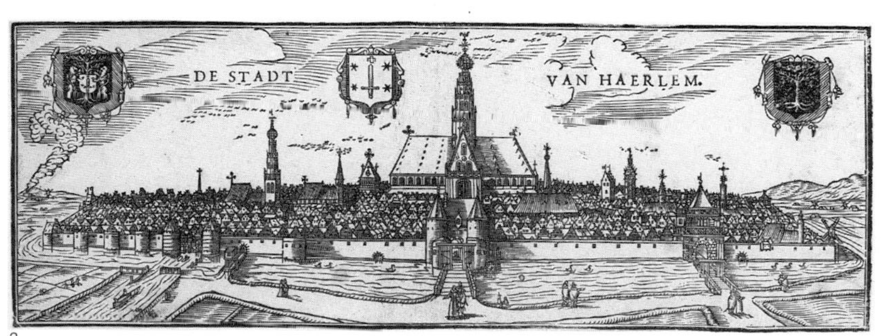

3

Emanuel de Witte
Gezicht in een fantasiekerk met monniken

Emanuel de Witte schilderde deze fantasie in licht en ruimte in 1668. Een katholieke eredienst zoals op dit schilderij heeft in Holland toen niet plaatsgevonden. In de grote gotische kerken preekten protestanten. Monniken mochten zich niet in habijt vertonen en men verweet hen volksverlakkerij. 'Broer Cornelis' werd spreekwoordelijk voor de bespotte kloosterling. In de werken van De Witte zijn de monniken in discussie. Wellicht waren de verdrukte katholieken de opdrachtgevers van De Witte: men omschreef zijn schilderijen als 'Wunschbilder'.

1 Emanuel de Witte *Gezicht in een fantasiekerk met monniken* 1668, schilderij op doek, 110 × 85 cm, inv.nr. 473
2 Emanuel de Witte *Fantasiekerk met monniken* (ca. 1667/68), schilderij op paneel, Rijssen, particuliere collectie
3 Philips Koning *Broer Cornelis* (ca. 1661), tekening, Hamburg, Kunsthalle

1 Emanuel de Witte *Interior of an imaginary church with monks* 1668, oil on canvas, 110 × 85 cm, inv.no 473
2 Emanuel de Witte *Imaginary church with monks* (ca 1667/68), oil on panel, Rijssen, private collection
3 Philips Koning *Brother Cornelis* (c. 1661), drawing, Hamburg, Kunsthalle

1

Emanuel de Witte
Interior of an imaginary church with monks

Emanuel de Witte painted this fantasy with its abundance of light and space in 1668. At the time Catholic services of the kind depicted in this picture did not take place in Holland. The large Gothic churches were the domain of Protestant preachers. Monks were not allowed to be seen wearing their habits and they were accused of deluding the public. 'Brother Cornelis' became a nickname for all monks. In De Witte's works one can see monks involved in debate. Possibly De Witte received his commissions from the oppressed Catholics: his paintings have been described as 'Wunschbilder' (wishful-images).

2

3

Aert de Gelder
Het loflied van Simeon

Aert de Gelder identificeerde zich zo met zijn leermeester Rembrandt dat zijn eerste biografen hem als een zonderling beschouwden. Zijn brede, losse schildertrant werd omstreeks 1700 ouderwets gevonden. Dit is een van de meest Rembrandtieke schilderijen van De Gelder, niet alleen vanwege de penseelvoering, maar ook door het onderwerp. Zijn leermeester heeft dit bijzonder vaak uitgebeeld in schilderijen, tekeningen en etsen. Het lijkt er op dat De Gelder speciaal de compositie heeft gekend van het schilderij *Het loflied van Simeon*, dat door Rembrandts dood onvoltooid gebleven is. De man op de achtergrond is Jozef met het koppel duiven op zijn hand, dat ook in de bijbeltekst wordt vermeld (Lucas 2:24).

1 Aert de Gelder *Het loflied van Simeon* (ca. 1700), schilderij op doek, 89 × 116 cm, inv. nr. 1047
2 Rembrandt *Het loflied van Simeon* (ca. 1665/69), schilderij op doek, Stockholm, Nationalmuseum
3 Rembrandt *Het loflied van Simeon* (ca. 1640), ets

1 Aart de Gelder *Simeon's song of praise* (ca 1700), oil on canvas, 89 × 116 cm, inv.no 1047
2 Rembrandt *Simeon's song of praise* (ca 1665/69), oil on canvas, Stockholm, Nationalmuseum
3 Rembrandt *Simeon's song of praise* (ca 1640), etching

1

Aert de Gelder
Simeon's song of praise

Aert de Gelder identified so strongly with his master Rembrandt that his early biographers called him an eccentric. Towards 1700 his broad, loose handling of the brush was considered old-fashioned. This is one of De Gelder's most Rembrandtesque pictures, not only because of its technical qualities but also for its subject, which recurs frequently in paintings, drawings and etchings by his teacher Rembrandt. De Gelder seems to have been particularly familiar with the composition of a painted version of *Simeon's song of praise* which remained unfinished at Rembrandt's death. The man in the background is Joseph with a pair of doves perched on his hand, portrayed as described in the Bible (Luke 2:24).

2

3

Abraham van Beyeren
Pronkstilleven

Een steeds terugkerend beeld in stillevens van Abraham van Beyeren is de weerspiegeling van de kunstenaar zelf aan zijn ezel in een zilveren kan op tafel. Dit is een oud motief: Metsijs toont in zijn *Geldwisselaar zijn vrouw* in een spiegel een lezende man, die zelfs nog herkenbaar is in de kopie van dit schilderij in *Apelles schildert Campaspe* (afb. 1, p. 100). De uitgestalde overvloed op het *Pronkstilleven* geeft geen beeld van de dagelijkse dis van de schilder Van Beyeren, die het niet breed gehad schijnt te hebben. Van stillevens schilderen werd je nu eenmaal niet rijk. Maar het horloge op tafel duidt erop dat de weelde een aflopende zaak is en ook het omgevallen glas wijst op de kortstondigheid van aardse genoegens.

1 Abraham van Beyeren *Pronkstilleven* (na 1655), schilderij op doek, 99,5 × 120,5 cm, inv.nr. 1056
2 Detail met de schilder in de weerspiegeling van de vaas
3 Willem van Haecht *Apelles schildert Campaspe* (detail van afb. 1 op p. 100 met *De geldwisselaar en zijn vrouw* van Metsijs)

1 Abraham van Beyeren *Showpiece still-life* (after 1655), oil on canvas, 99.5 × 120.5 cm, inv.no 1056
2 Detail showing the artist reflected from the surface of the vase
3 Willem van Haecht *Apelles painting Campaspe* (detail of ill. 1 on p. 100, showing *The banker and his wife* by Metsijs)

1

Abraham van Beyeren
Showpiece still-life

The reflection of the artist at his easel, in the silver jug on the table, is a recurrent motif in still-lifes by Abraham van Beyeren. The motif is an old one: in his painting *The banker and his wife* Metsijs had depicted the reflection of a man reading in a mirror. This can be discerned even in the tiny version of it which is included in *Apelles painting Campaspe* (ill. 1, p. 100). The overabundance of luxuries in the *Showpiece still-life* is not supposed to be representative of Van Beyeren's everyday provisions. Like most painters of still-lifes he was a man of modest means. However, the watch on the table indicates that wealth runs out, and the overturned glass reminds us of the brevity of earthly pleasures.

2

3

Frans Hals
Een lachende jongen

Sinds de oudheid kende men twee manieren van schilderen, 'net' en 'rou', volgens Carel van Mander. Alleen aan de grootste meesters was de ruige stijl voorbehouden. Kopieën van *Een lachende jongen* bewijzen dat het 'handschrift' van Hals inderdaad onnavolgbaar is. Dit is een studie van een gelaatsexpressie, zoals Rembrandt die wel maakte: lachend, schreeuwend, fronsend. Hals schilderde zulke kinderen soms ook met een attribuut in een serie zintuigen, bijvoorbeeld met een glas (de Smaak) of met een fluit (het Gehoor).

1 Frans Hals *Een lachende jongen* (ca. 1627), schilderij op paneel, diameter 29,5 cm, inv.nr. 1032
2 Frans Hals *Een lachende jongen met een glas (de Smaak)* en *Een lachende jongen met een fluit (het Gehoor)* (ca. 1627), schilderijen op paneel, Schwerin, Staatliche Museen

1 Frans Hals *A laughing boy* (ca 1627), oil on panel, diameter 29.5 cm, inv.no 1032
2 Frans Hals *A laughing boy with a glass (Taste)* and *A laughing boy with a flute (Hearing)* (ca 1627), oil on panel, Schwerin, Staatliche Museen

1

Frans Hals
A laughing boy

According to Carel van Mander there had been two styles of painting since antiquity: 'net' (neat) and 'rou' (rough). The rough style was the prerogative of the greatest masters. Copies of *A laughing boy* show that Frans Hals's 'handwriting' was indeed inimitable. This picture is a study of a facial expression of the kind occasionally made by Rembrandt: laughing, screaming, frowning. Sometimes Hals would paint a series of children like these with the appropriate props, as the Senses: with a glass, to represent 'Taste', or with a flute for 'Hearing'.

2

Frans van Mieris
De bellenblazer

Met bolle wangen blaast een jongen zeepbellen in een schelp. Achter hem staat een dame met een hondje. Ze lacht beloftevol en wenkt ons daarbij met de linkerhand: een niet mis te verstaan gebaar. Hoe dan ook is matigheid geboden, dat leert ons de trage slak links onder. Trouwens, de zeepbellen brengen overduidelijk de broosheid van het bestaan in beeld. De zonnebloemen, die zich steeds naar de zon toe keren, zijn het symbool van de liefde. Maar planten en bloemen zijn vergankelijk, getuige de aangevreten bladeren van de wijnrank. Dus: wees vooral voorzichtig in de liefde.

1 Frans van Mieris *De bellenblazer* 1663, schilderij op paneel, 25,5 × 19 cm, inv.nr. 106
2 Detail met de slak als de Matigheid
3 Detail met de wenkende dame

1 Frans van Mieris *A boy blowing bubbles* 1663, oil on panel, 25.5 × 19 cm, inv.no 106
2 Detail showing the snail as a symbol of moderation
3 Detail showing the beckoning lady

Frans van Mieris
A boy blowing bubbles

The boy with puffed-out cheeks is blowing soap-bubbles into a shell. Standing behind him is a lady with a little dog. She flashes across a winning smile while beckoning us with her left hand: an unambiguous gesture. Certainly moderation is part of the message, as the slow-moving snail, bottom left indicates. The soap-bubbles are also obviously symbolic of life's fragility. The sunflowers, which always turn to face the sun, stand for love. But plants and flowers perish, as we can see from the decaying leaves of the grape-vine. In other words, the message is: above all be cautious in matters of the heart.

2

3

Carel Fabritius
Het puttertje

In 1654 portretteerde Carel Fabritius een vogeltje dat om zijn schranderheid bijzonder populair was als huisdier: een puttertje, zoals de distelvink in Nederland werd genoemd. Deze koosnaam is ontleend aan zijn handigheid om met een emmertje water te putten uit een bakje. Op oude prenten en schilderijen zien we hoe hij dat deed. Misschien was dit paneel vroeger onderdeel van zo'n putterkooi, waarin het vogeltje geschilderd was als een oogbedrieger ('trompe-l'oeil'). Bovenaan zou dan een vogelhuisje bevestigd zijn geweest en onderaan een plankje met een drinkbak.

1 Carel Fabritius *Het puttertje* 1654, schilderij op paneel, 33,5 × 22,8 cm, inv.nr. 605
2 Detail van afb. 3 met complete puttERSkooi
3 Gerard Dou *Een meisje met een druiventros* 1662, schilderij op paneel, Turijn, Galleria Sabauda

1 Carel Fabritius *The goldfinch* 1654, oil on panel, 33.5 × 22.8 cm, inv.no 605
2 Detail of ill. 3 showing a finch-cage
3 Gerard Dou *A girl with a bunch of grapes* 1662, oil on panel, Turin, Galleria Sabauda

1

Carel Fabritius
The goldfinch

In 1654 Carel Fabritius depicted a tiny bird which on account of its intelligence was particularly popular as a pet: a 'puttertje' (water drawer) as the goldfinch was called in Holland. The bird took its name from the artful way in which it could extract water from a bowl with the help of a little scoop. Old prints and paintings show us how the bird managed to do this. Possibly this panel was at one time part of a bird cage in which a goldfinch was painted to deceive the viewer into thinking it was real (a 'trompe-l'oeil'). If so, there would have been a cage for the bird in front of the panel at the top, and below another perch supporting a drinking bowl.

2

3

Isack van Ostade
Reizigers voor een herberg

Isack, de jongste van de gebroeders Van Ostade, heeft in nog geen tien jaar een indrukwekkend oeuvre geschapen. Hij specialiseerde zich in het boerenleven buitenshuis, vrolijke volksscènes in zonnige landschappen. Hiermee rekende hij als het ware af met een genre waarin boeren en buitenlui afgeschilderd werden als uitschot. Met zijn milde visie heeft hij de toon gezet voor zijn oudere broer Adriaen van Ostade die zijn interieurs met vechtende of drinkende lieden allengs verving door welhaast idyllische taferelen.

1 Isack van Ostade *Reizigers voor een herberg* 1645, schilderij op paneel, 75 × 109 cm, inv.nr. 789
2 Adriaen van Ostade *Boeren in een herberg* 1662, schilderij op paneel, 47,5 × 39 cm, inv.nr. 128
3 Adriaen van Ostade *De vioolspeler* 1673, schilderij op paneel, 45 × 42 cm, inv.nr. 129

1 Isack van Ostade *Travellers outside an inn* 1645, oil on panel, 75 × 109 cm, inv.no 789
2 Adriaen van Ostade *Peasants in an inn* 1662, oil on panel, 47.5 × 39 cm, inv.no 128
3 Adriaen van Ostade *The fiddler* 1673, oil on panel, 45 × 42 cm, inv.no 129

1

Isack van Ostade
Travellers outside an inn

Within a period of no more than ten years Isack, the youngest of the Van Ostade brothers, created an impressive oeuvre. His speciality was the outdoor life of the peasant, lively scenes of country activities in summery landscapes. With these pictures he might be said to have brought to a close a genre in which peasants and country folk were depicted as boors. The mildness of his vision set the tone for his older brother Adriaen van Ostade, who gradually came to replace his interiors containing fighting and drinking people, with almost idyllic scenes.

2

3

Gerard Houckgeest
Het grafmonument van Willem van Oranje in Delft

Het graf van Willem de Zwijger in de Nieuwe Kerk in Delft (voltooid in 1623) was het nationale monument van de jonge republiek. In 1645 liet een onbekende familie zich als toeristen afbeelden door Dirck van Delen, staande naast het praalgraf. Gerard Houckgeest toont aan hoe aan dit motief een artistieke allure kon worden gegeven. Vooral het overhoekse perspectief verleent het geheel een grote levendigheid, die nog versterkt wordt door een aangename lichtval. Hij laat niet zoveel mogelijk van het interieur van de kerk zien, maar slechts een hoek. Natuurlijk is het geen toeval dat het echtpaar voor het beeld van de Vrijheid staat, het symbool van hun eigen onafhankelijkheid.

1

Gerard Houckgeest
The tomb of William of Orange in Delft

William the Silent's tomb in the New Church (Nieuwe Kerk) in Delft (completed in 1623) was the national monument of the newly established republic. In 1645 a family whose identity remains unknown commissioned Dirck van Delen to portray them as tourists standing next to the tomb. Gerard Houckgeest's artistry shows how alluring this motif could become. The diagonal perspective with its two vanishing points, in particular, invests the whole with a strong sense of liveliness, which is heightened still further by the harmonious lighting. Houckgeest does not try to squeeze in as much of the church interior as possible, but limits himself to one corner. Of course, it is not purely accidental that the couple are standing in front of the statue of liberty, a symbol of their own independence.

1 Gerard Houckgeest *Het grafmonument van Willem van Oranje in Delft* 1651, schilderij op paneel, 56 × 38 cm, inv.nr. 58
2 Dirck van Delen *Een familie bij het graf van Willem van Oranje in Delft* 1645, schilderij op paneel, Amsterdam, Rijksmuseum

1 Gerard Houckgeest *The tomb of William of Orange in Delft* 1651, oil on panel, 56 × 38 cm, inv.no 58
2 Dirck van Delen *A family by William of Orange's tomb in Delft* 1645, oil on panel, Amsterdam, Rijksmuseum.

2

Jan van der Heyden
Gezicht op de Oudezijds Voorburgwal te Amsterdam

Jan van der Heyden was in de eerste plaats uitvinder: in 1672 bouwde hij een slangenbrandspuit voor Amsterdam. Tot dat jaar was hij ook als schilder actief, vooral van topografische stadsgezichten. Zijn oog voor het detail blijkt uit de geschilderde voegen van de muren, zodat je de bakstenen kunt tellen. Figuren liet hij wel – zoals ook hier – aanbrengen door Adriaen van de Velde, die in 1672 stierf. Uitgebeeld is de oudste stadsgracht van Amsterdam met de Oude Kerk, de eerste gotische hallenkerk in de noordelijke Nederlanden. Het carillon heeft nu nog de vijfendertig klokken die François Hemony in 1658 maakte. Ook toen was dit stadsdeel het centrum van de rosse buurt, de 'walletjes'.

1 Jan van der Heyden *Gezicht op de Oudezijds Voorburgwal te Amsterdam* (ca. 1670), schilderij op paneel, 41,2 × 52,5 cm, inv.nr. 868
2 Detail met het carillon van Hemony
3 Detail met figuren van Adriaen van de Velde

1 Jan van der Heyden *View of Amsterdam showing the Oudezijds Voorburgwal* (ca 1670), oil on panel, 41.2 × 52.5 cm, inv.no 868
2 Detail showing Hemony's carillon
3 Detail showing figures by Adriaen van de Velde.

1

Jan van der Heyden
View of Amsterdam showing the Oudezijds Voorburgwal

Jan van der Heyden was primarily an inventor: in 1672 he built a fire engine for Amsterdam. Up to that year he was also active as a painter, specializing in townscapes. His eye for detail is demonstrated by the painting of the brickwork in which you can actually distinguish individual bricks. His figures would occasionally – as in this painting, for example – be added by Adriaen van de Velde, who died in 1672. The scene shows Amsterdam with the 'Oude Kerk' (Old Church), the earliest Gothic hall church of the northern Netherlands. Today the carillon still contains the 35 bells which François Hemony made in 1658. At that time this part of the city already formed the heart of the red-light district, known as the 'walletjes'.

2

3

Nicolaes Berchem
Zeus als kind op Kreta

In 1649 stond Nicolaes Berchem genoteerd als een van de kandidaten voor het uitvoeren van de decoraties in de Oranjezaal van Huis ten Bosch in Den Haag. In hetzelfde jaar maakte de schilder echter zijn testament op, omdat hij de gebruikelijke kunstreis naar Italië wilde maken. Was hij van de lijst afgevoerd? Tot een hofopdracht is het toen niet gekomen, hoewel hij bewezen had op groot formaat te kunnen schilderen. Dat blijkt uit *Zeus als kind op Kreta*, gedateerd 1648. De bloot slapende Zeus had hij zelfs bewust ontleend aan een bekende sculptuur van Artus Quellinus, een beeldhouwer die zeer in trek was bij de stadhouder. Een tekening naar dit beeldje toont het slapende kind van twee kanten.

1 Nicolaes Berchem *Zeus als kind op Kreta* 1648, schilderij op doek, 202 × 262 cm, inv.nr. 11
2 Nicolaes Berchem *Twee studies naar een beeld van Quellinus* (ca. 1648), tekening, Keulen, Wallraf-Richartz-Museum
3 Artus Quellinus *Een slapende putto* 1641, ivoor, Baltimore, The Walters Art Gallery

1 Nicolaes Berchem *The infant Zeus on Crete* 1648, oil on canvas, 202 × 262 cm, inv.no 11
2 Nicolaes Berchem *Two studies after a statue by Quellinus* (ca 1648), drawing, Cologne, Wallraf-Richartz-Museum
3 Artus Quellinus *A sleeping putto* 1641, ivory, Baltimore, The Walters Art Gallery

1

Nicolaes Berchem
The infant Zeus on Crete

In 1649 Nicolaes Berchem was one of the artists who competed for the commission to paint decorations for the 'Oranjezaal' (the 'Stadholder's Room') at Huis ten Bosch at The Hague. In the same year, however, the painter drew up his will because he intended to undertake the traditional Grand Tour of Italy. Was he removed from the list? In any case, he was not given the court commission on this occasion, although he had proved himself fully capable of painting on a large scale – as this canvas, *The infant Zeus on Crete* (dated 1648) demonstrates. In fact he deliberately copied the naked figure of Zeus sleeping from a well-known statue by Artus Quellinus, a sculptor who had won considerable favour with the stadholder. A drawing made from this small statue shows the sleeping child from two angles.

2

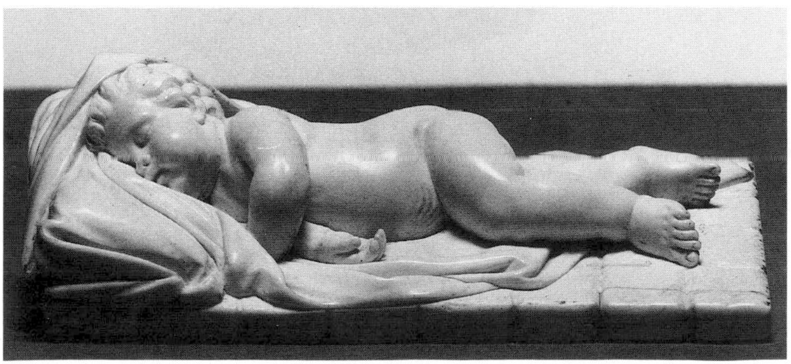

3

Willem van de Velde de Jonge
Schepen op een kalm water

Willem van de Velde de Jonge had met zijn vader een bijzonder samenwerkingsverband, dat in 1674 zelfs in een contract werd vastgelegd toen ze bij Karel II van Engeland in dienst traden. De zoon moest scheepstaferelen schilderen aan de hand van actie- en constructietekeningen van Willem van de Velde de Oude. Het statenjacht rechts voor in *Schepen op een kalm water* is nauwkeurig geschilderd naar een tekening, die opgezet is door de vader en uitgewerkt door de zoon. De afmetingen van de mast en de spriet van het jacht kloppen niet helemaal, zoals niet ongebruikelijk is in het werk van de jongste Van de Velde omstreeks 1658.

1 Willem van de Velde de Jonge *Schepen op een kalm water* (ca. 1658), schilderij op doek, 66,5 × 77,2 cm, inv.nr. 200
2 Willem van de Velde de Jonge en Willem van de Velde de Oude *Een statenjacht* (ca. 1658), tekening, Parijs, Ecole des Beaux-Arts
3 Detail met het statenjacht

1 Willem van de Velde the Younger *Becalmed ships* (ca 1658), oil on canvas, 66.5 × 77.2 cm, inv.no 200
2 Willem van de Velde the Younger and Willem van de Velde the Elder *A state yacht* (ca 1658), drawing, Paris, Ecole des Beaux-Arts
3 Detail showing the state yacht

1

Willem van de Velde the Younger
Becalmed ships

Willem van de Velde the Younger and his father had a very special partnership: it went as far as them having their individual responsibilities legally established in a contract on entering the service of Charles II of England in 1674. The son was to paint the shipping scenes with the help of his father's drawings of action scenes and ships' construction. The state yacht to the right in the foreground in *Becalmed ships* is carefully painted from a drawing which was designed by the father and executed by the son. The proportions of the yacht's mast and bowsprit are not quite accurate, as is fairly typical of the works which the younger Van de Velde painted in about 1658.

2

3

Meindert Hobbema
Vakwerkhuizen onder bomen

De lichteffecten in Hobbema's landschappen vinden hun oorsprong bij Ruisdael, maar hij legt er nooit zo de nadruk op als zijn leermeester en hij zet voor een zonbeschenen plek in het bos altijd wat donkere boomstammen om het licht te temperen en diepte te scheppen. Hobbema probeerde de grilligheid van de natuur te verbeelden, waarbij hij toch niet 'naar de natuur' werkte. De schikking van zijn taferelen bedacht hij in het atelier. Bij Hobbema komen opvallend vaak herhalingen voor van composities en onderdelen daarvan, zoals boompartijen of boerderijen.

1 Meindert Hobbema *Vakwerkhuizen onder bomen* (ca. 1660/70), schilderij op paneel, 53 × 71 cm, inv. nr. 1061
2 Meindert Hobbema *Bospad met boerderijen* (ca. 1660/70), schilderij op doek, Berlijn, Staatliche Museen
3 Meindert Hobbema *Landschap met boerderijen* (ca. 1660/70), schilderij op doek, Londen, National Gallery

1 Meindert Hobbema *Half-timbered cottages under trees* (ca 1660/70), oil on panel, 53 × 71 cm, inv.no 1061
2 Meindert Hobbema *Wood-path with farmhouses* (ca 1660/70), oil on canvas, Berlin, Staatliche Museen
3 Meindert Hobbema *Landscape with farmhouses* (ca 1660/70), oil on canvas, London, National Gallery

1

Meindert Hobbema
Half-timbered cottages under trees

The light effects in Hobbema's landscapes show the influence of Ruisdael, though he never makes them as emphatic as his teacher's. In Hobbema's forests sun-lit clearings are always surrounded by a couple of dark tree-trunks in order to soften the light and create depth. Hobbema strove to render nature's unspoilt features without, however, actually painting 'from nature'. He devised the composition of his scenes in his studio. Certain compositions and motifs, such as a particular clump of trees or a farm-house, recur remarkably often in Hobbema's work.

2

3

De belangrijkste schilderijen van stadhouder Prins Willem V – de kern van de verzameling van het Mauritshuis – werden vanaf 1774 geëxposeerd in een galerij. Met de architectonische term 'galerij' werd een langgerekte ruimte bedoeld: later was het ook de aanduiding voor de daar getoonde collectie. Tegenwoordig zijn er weer twee galerijen in Nederland te bezichtigen: die in Het Loo, daterend uit het eind van de zeventiende eeuw, en die van Willem V, die in 1773/74 gebouwd werd aan het Buitenhof. Het bijzondere van de Haagse galerij was dat zij op vaste dagen in de week tussen 11 en 1 uur werd opengesteld voor het publiek. Daardoor is zij in feite het oudste museum van Nederland.
De presentatie van de schilderijen was in de achttiende eeuw drastisch anders dan nu gebruikelijk is. Lijst aan lijst hing de collectie vrijwel van het plafond tot aan de vloer. De selektie was tijdgebonden: in de achttiende eeuw ging de voorkeur uit naar zeventiende-eeuwse fijnschilderkunst met geïdealiseerde landschappen, glad geschilderde 'genre'stukken en rijke stillevens. De geschiedenis van deze schilderijenverzameling is hierboven beschreven (p. 28). In 1795 werd ze door de Fransen genaast en overgebracht naar Parijs; in 1815 werd het grootste deel ervan geretourneerd naar Nederland en door koning Willem I overgedragen aan het Rijk. In 1821 werden de schilderijen verhuisd naar het Mauritshuis.
In 1974 werd besloten tot restauratie en herstel van de galerij in haar vroegere functie. Het plafond, met elegant ornament in vroege Lodewijk XVI stijl kwam zo weer tot zijn recht en in de hoekmedaillons werden attributen van de kunsten en wetenschappen herkenbaar. Het houtwerk werd groen geschilderd in de oorspronkelijke tint. De ruimte werd heringericht in de oorspronkelijke toestand, zodat in 1977 het oudste museum van ons land kon worden heropend.
Nu, in 1987, is het beheer van de galerij overgedragen aan het Mauritshuis. Opnieuw is een aanpassing gemaakt aan de achttiende-eeuwse situatie met schilderijen uit eigen bezit, een aanzienlijk bruikleen van de Rijksdienst Beeldende Kunst en enkele aanvullingen uit het Rijksmuseum.

Ben Broos

1 Schilderijengalerij Prins Willem V in 1987

1 The Prince Willem V Picture gallery in 1987

Stadholder Prince Willem V's most important pictures – the nucleus of the Mauritshuis Collection – were displayed in a gallery from 1774 onwards. The architectural term 'gallery' referred originally to an elongated room: later on it also came to denote the collection displayed there. In Holland today, two of these galleries are open to the public again: the one in Het Loo, which dates from the late 17th century, and that of Willem V on the Buitenhof. What was special about the gallery in The Hague was that it could be viewed by members of the public on certain days of the week between 11 am and 1 pm. This makes it, in effect, the oldest museum in the Netherlands.
The 18th-century arrangement of the pictures differed radically from what we would commonly expect nowadays. Hung with their frames rubbing against each other, the paintings virtually covered the walls from ceiling to floor. The selection was very much a product of its time: in the 18th century, people had a strong preference for the delicately executed pictures of the previous century, showing idealized landscapes, smoothly painted 'genre' pieces and lavish still-lifes. The previous chapters (pp. 29-31) have given an account of the history of this collection. In 1795 it was taken over by the French and sent to Paris; when the bulk of the collection returned to the Netherlands in 1815, it was handed over to the State by King Willem I. In 1821 the pictures were transferred to the Mauritshuis.
In 1974 it was decided that the gallery should be restored and reopened to serve its former function. Thus, the elegant ornamental features in the early Louis XVI style were once again restored to be shown to advantage, as were the corner medallions displaying attributes of the arts and sciences. The woodwork has been painted in the original shade of green. The rooms have been restored to their former state, so that in 1977 the oldest museum in the country was able to open its doors again.
Now, in 1987, the management of the gallery has been placed in the Mauritshuis's trust. The 18th-century appearance has been created anew with paintings from the original collection, a considerable number of loans from the Netherlands Office for Fine Arts and a few others from the Rijksmuseum.

Ben Broos

Den Haag heeft zijn inwoners en toeristen in cultureel opzicht veel te bieden. Er zijn zo'n twintig musea met uiteenlopende collecties. De belangrijkste zijn – behalve het Mauritshuis – het Haags Gemeentemuseum, het Museon en het Panorama Mesdag. Het Haags Gemeentemuseum bezit een verzameling moderne kunst waarin een unieke collectie werken van Piet Mondriaan – de grootste ter wereld – centraal staat. Daarnaast vindt men in dit museum een indrukwekkende afdeling oude kunstnijverheid en oude en niet westerse muziekinstrumenten. In het nabijgelegen Museon wordt aan kinderen en volwassenen inzicht verschaft in het ontstaan van de wereld, in verschillende culturen, in wetenschap en techniek. In Panorama Mesdag kijkt de bezoeker vanaf een kunstmatige duintop naar Scheveningen anno 1880, afgebeeld op een aan een ring opgehangen panoramisch schilderij, een van de laatste in zijn soort in Europa.
Het Haags Historisch Museum is sinds 1987 gehuisvest aan de Korte Vijverberg, vlak bij het Mauritshuis. Aan de overkant van de Hofvijver bevindt zich naast de Schilderijengalerij Prins Willem V het Rijksmuseum Gevangenpoort, waar middeleeuwse straf- en martelwerktuigen zijn te zien. Het Rijksmuseum Hendrik Willem Mesdag valt evenals de Schilderijengalerij Prins Willem V onder het beheer van het Mauritshuis: hier worden schilderijen uit de Haagse School en de School van Barbizon getoond, zoals die in 1903 door het schildersechtpaar Mesdag-Van Houten werd geschonken. In een stijlvol oud woonhuis is het Rijksmuseum Meermanno-Westreenianum gevestigd, waar onder andere het Museum van het Boek is gevestigd. Voor tentoonstellingen over schrijvers of literaire stromingen kan men regelmatig terecht bij het Nederlands Letterkundig Museum. Bij uitstek geliefd bij verzamelaars zijn het Nederlands Postmuseum en het Koninklijk Munt- en Penningkabinet. Kortom: van de vele attracties die Den Haag te bieden heeft, zijn haar musea de 'parel in de kroon' van de Hofstad.

A. Havermans, burgemeester van Den Haag

1

From a cultural viewpoint The Hague has a great deal to offer, to its residents as well as to tourists. It has approximately twenty museums housing diverse collections. The most important ones are – apart from the Mauritshuis – the Haags Gemeentemuseum, the Museon and the Panorama Mesdag. The Haags Gemeentemuseum has a department of modern art of which a unique collection of works by Piet Mondriaan – the largest in the world – is the centre. In addition, this museum has an impressive department of traditional arts and crafts and traditional and non-western musical instruments. Nearby, in the Museon, children and adults gain insight into the origin of the world, into different cultures and into science and technology. In the Panorama Mesdag the visitor can look from the top of an artificial dune at Scheveningen in the year 1880, which is portrayed in a panoramic painting hung in a circle. This painting is one of the last of its kind in Europe.
The Haags Historisch Museum has been housed, since 1987, at the Korte Vijverberg, very near the Mauritshuis. Next to the Galerij Prins Willem V (Prince William V Picture Gallery), on the opposite side of the Hofvijver, is the Rijksmuseum Gevangenpoort (the National Prison Gatehouse Museum) in which medieval instruments of punishment and torture can be seen. The Rijksmuseum Hendrik Willem Mesdag like the Prince William V Picture Gallery, falls under the administration of the Mauritshuis: here paintings from the Hague School and the Barbizon School are exhibited as they were when donated in 1903 by the painter-couple Mesdag-van Houten. The Rijksmuseum Meermano-Westreenianum can be found in an elegant old residence which houses, among others, the Museum van het Boek. Exhibitions on writers or literary movements are held regularly in the Nederlands Letterkundig Museum. Favourites among collectors are the Nederlands Postmuseum and the Koninklijk Munt- en Penningkabinet. In short: among the many attractions which the court-capital The Hague has to offer, its museums are 'the jewel in its crown'.

A. Havermans, Mayor of The Hague

1 Piet Mondriaan *Compositie I met rood, geel en blauw* 1921, schilderij op doek, Haags Gemeentemuseum
2 Panorama Mesdag

1 Piet Mondriaan *Composition I in red, yellow and blue* 1921, painting on canvas, The Hague, Haags Gemeentemuseum
2 Panorama Mesdag

2

Fotoverantwoording

Musea en instanties die fotomateriaal ter beschikking stelden werden vermeld in B. Broos, *Meesterwerken in het Mauritshuis*, Den Haag 1987, p. 449-451

Han Geene: p. 42, 49, 63, 71, 151, 212
Joost Guntenaar en Willy van Exter: p. 41
Daniël van de Ven: p. 97, 101, 197

Photo acknowledgements

The museums and authorities which have made photo material available have been mentioned in B. Broos, *Meesterwerken in het Mauritshuis* (Masterpieces in the Mauritshuis), The Hague 1987, p. 449-451

Han Geene: p. 42, 49, 63, 71, 151, 212
Joost Guntenaar and Willy van Exter: p. 41
Daniël van de Ven: p. 97, 101, 197

ISBN 9012057906

Colophon:
Translation: Jantien Salomonson/Peter Black, edited by Kate Williams
Design: Kees Nieuwenhuyzen assisted by Hester Lemstra
Photo on cover: KLM Aerocarto bv., Schiphol
Composing: Pecasse intercontinental bv, Maastricht
Lithography: Gravura bv., 's-Gravenhage
Printing: Staatsdrukkerij, 's-Gravenhage
Binding: Hexspoor bv., Boxtel